Petit guide de
l'âme heureuse

Direction : Catherine Saunier-Talec

Responsable éditoriale : Tatiana Delesalle-Féat

Responsable artistique : Antoine Béon

Conception graphique : Pauline Ricco

Réalisation : Sophie Compagne

Fabrication : Amélie Latsch

L'éditeur remercie Iris Dion pour son aide précieuse et efficace.

Imprimé par UNIGRAF SL, Espagne
23-1216-01-3
Dépôt légal : avril 2013
ISBN : 978-2-01-23-1216-6

Petit guide de
l'âme heureuse

Aude de Béarn

À Toi.

« À la vie, à l'amour, à nos nuits,
à nos jours,
À l'éternel retour de la chance.
À l'enfant qui viendra, qui nous
ressemblera,
qui sera à la fois toi et moi. »

JOE DASSIN

À vous, mes frères

Sommaire

Préface

Voici un guide facile à lire et à appliquer pour toute personne en quête d'un petit supplément d'âme dans son existence. Au même titre qu'une pincée de sel relève et réveille un plat, certaines pensées raniment le cœur et ravivent notre espoir. Ce petit manuel éveille les consciences en abordant des grands thèmes de vie, comme l'AMOUR, la BEAUTÉ, le PARDON, la LIBERTÉ, la SAGESSE, le PRÉSENT et bien d'autres mots qui relèvent plus souvent de notre vocabulaire que de nos expériences.

Vous découvrirez au fil de ces pages que, contrairement aux idées reçues, nous avons la possibilité de changer et d'évoluer. Mais cela ne se fera pas tout seul. Le meilleur est possible, encore faut-il le vouloir et lui laisser le temps de naître et de grandir.

Ces mots simples tentent de dérouiller nos cœurs pour que l'amour ne soit pas seulement un concept dans nos esprits, mais un état d'être et une façon de vivre.

Ces pensées tâcheront de réparer les dommages créés pas nos éducations et nos déceptions. En réalisant tout simplement que nous sommes les acteurs de nos vies. Que nos actes et nos pensées dépendent de notre bonne volonté. Forts de cela, nous pouvons commencer à tendre vers le meilleur.

Notre plus bel antidote au désordre d'aujourd'hui reste notre conscience. Servons-nous-en pour mettre nos existences au service de la vérité, de la vie et de l'amour de nous-même et de notre voisin.

Au travers de citations et de réflexions venues de tous horizons, chacun pourra piocher ce qui lui semble adapté pour évoluer.

Voici un petit livre que tout le monde aurait pu écrire car il est le fruit d'une personne comme les autres qui a pour seul atout d'y croire encore et toujours. Que ce positivisme ancré dans mes gènes puisse se rendre utile et « rebooster » les âmes en perte d'élan et en quête de vitamines.

Joyeuse route et bonne lecture,

AUDE DE BÉARN

Préambule

« J'ai retourné ma veste le jour où je me suis aperçu qu'elle était doublée de vison. »

SERGE GAINSBOURG

ET SI NOS DOUBLURES ÉTAIENT TOUTES PLUS BELLES QUE NOS FAÇADES ?

Et si en regardant dans le fond de nos êtres nous mettions le doigt sur le trésor qui sommeille en chaque être humain ?

Et si l'humanité était comme un puzzle géant et mouvant ? Une sorte de défilé animé, semblable au spectacle dansant qu'offre un caléidoscope. Imaginez que chaque morceau, forme, mouvement, balancement du paysage était l'un de nous ? Et si chaque coin du puzzle représentait l'infinitude de coins de notre globe ? Et si chaque être humain représentait une pièce du tableau qui se crée et se régénère sans fin ? La nature le fait si bien et si « naturellement » sous nos yeux.

Et si le plan céleste avait besoin de chaque vie terrestre pour que le tableau se dessine et se fasse harmonieusement ? Nous sommes tous uniques et tous semblables, nous avons tous un visage avec deux yeux, un nez et une bouche et personne n'est identique. Nous sommes tous dotés des cinq mêmes sens mais aucun de nous ne perçoit les sensations de la même manière. Et s'il en était de même pour notre mission d'incarnation ? Chaque vie aurait un rôle beau, simple et entraînant à jouer dans la danse de l'humanité. Aucun de nous n'a été créé en vain. Chacun a sa pierre à apporter à l'édifice, sa teinte à apporter au tableau. Nous sommes tous acteurs de notre monde et cela indépendamment de nos croyances. Et si nous nous servions de nos différences pour apporter des touches d'humanités aussi diverses et variées que les couleurs d'une palette qui, en se mélangeant et s'unissant, révèlent les plus beaux dégradés ?

Bien sûr, notre condition humaine fait que beaucoup d'entre nous passent plus de temps à vouloir devenir le morceau de puzzle du voisin… Voilà un petit jeu de miroir et de convoitise qui fait perdre des années à certains, et même une vie à d'autres. Et pourtant, c'est bel et bien notre morceau de puzzle qu'il faudrait faire naître, si l'on veut expérimenter le bonheur ici-bas, car c'est celui qui nous va sur mesure.

Comme la vie chahute, bouleverse et même écœure aussi parfois, quand la souffrance est trop violente, on va jusqu'à rejeter et nier toute forme de vie. C'est notre droit. C'est le fruit de notre liberté de choix. Et c'est légitime.

Heureusement, il suffit d'un rayon de vie pour que nous quittions les ténèbres de la tristesse. La vie est là, elle est partout. Nous sommes la vie. Elle est puissante et magnifique, et elle reprend subtilement le dessus, même après les plus grandes douleurs humaines. Même au cœur des plus grandes luttes, dans la maladie, l'horreur, la maltraitance, la vie persiste et renaît peu à peu. Le temps est le meilleur remède à tous les maux du corps et de l'âme. L'espoir est celui qui maintient en nous une lueur au cœur des drames.

Les illusions et les projections, les faux schémas, les attentes parentales, l'éducation, les frustrations des uns, les idées préconçues des autres, voilà autant d'entraves à la découverte de son bout de puzzle. Et pourtant c'est de Vous dont l'humanité aurait besoin pour danser et rire harmonieusement. Pour aimer, échanger, vibrer, le monde attend chacun de nous. Tâchons d'être des hommes et des femmes de conscience.

Respectons la liberté des autres et demandons-leur d'en faire de même avec la nôtre. Soyons des artisans de paix au milieu du chaos. Soyons des hommes et des femmes de confiance dans ce contexte souvent sans foi ni loi. Apprenons à être loyaux, justes, tolérants, car c'est par le bien que l'on arrête le mal.

Une des causes de notre « désordre » actuel provient du fait que nous refusons l'existence du divin. C'est notre droit. L'homme du XXIe s. a cette drôle de tendance à se prendre pour un petit « Dieu » en puissance.

Aujourd'hui, on pourrait dire qu'on « s'autocrée ». Comme un « autoentrepreneur », on façonne sa petite vitrine vivante, sa façade marketing. On se raconte, on se vend et on finit par se prostituer moralement (à son insu la plupart du temps). C'est comme cela, que nos cœurs finissent par devenir vagabonds et un peu secs...

Nombre d'entre nous ont perdu l'espoir d'un monde meilleur et préfèrent renier ce pourquoi ils sont en vie. AIMER.

Et si AIMER était notre principale raison de vivre ?

Dans ce contexte basé sur les apparences, l'argent domine en maître et se positionne en prince de ce monde. L'illusion de pouvoir se cache derrière des eurodollars. Mais qu'en est-il du vrai pouvoir de l'être humain ? Que restera-t-il à l'homme qui a régné en maître sans respecter son voisin (et donc lui-même) ? Qu'emportera-t-il de cette vie ? L'aura-t-il mise à profit ? Et là, il n'est pas question de spéculations boursières mais de valeurs, vraies, justes, authentiques et généreuses.

Par ces égarements, nos manques de discernement entre le vrai et le toc, l'info et l'intox, le bon et le con. À une consonne près parfois on bascule et on donne notre majorité intérieure au pouvoir de notre ego. L'antidote de l'ego ? La conscience.

Sur 300 millions de spermatozoïdes, on a gagné la course, la place si convoitée, dans l'unique ovule à féconder. Ce droit à l'incarnation nous a donné, au passage, le plus beau don du ciel : notre libre arbitre. Cette liberté est un cadeau que l'on a le choix de mettre au profit du bien ou pas.

Dans notre monde de plaisirs instantanés il paraît difficile d'atteindre un bonheur durable. Et pourtant, notre nature humaine aspire au bonheur stable, juste et beau. Et pas seulement au shoot de plaisir pour mieux « resombrer » dans une tristesse sans fond. Il appartient à chacun de nous de tendre vers le beau, l'amour et la douceur. Encore faut-il s'en donner les moyens pour l'atteindre. Eh oui, cela peut paraître ringard et rétrograde, et pourtant, il faut donner de l'amour pour en recevoir. Il faut prendre patience pour connaître le bonheur durable, pardonner pour être apaisé et se pardonner pour se respecter et se laisser aimer.

ET SI NOUS COMMENCIONS PAR STOPPER L'HÉMORRAGIE EN ARRÊTANT DE JUGER L'AUTRE ?

Occupons-nous de notre cas avant de juger son voisin. Servons-nous de l'exemple que l'autre nous renvoie pour faire une petite introspection dans nos vies. Quand quelqu'un agit « mal » selon nous, regardons objectivement si nous n'avons pas, même en pointillé, ce petit défaut en commun. Et remercions-le de nous avoir fait réaliser ce couac dans nos tempéraments plutôt que de ruminer sur son dos en l'accablant de tous les torts.

Notre rôle n'est pas d'écraser l'autre mais d'élever nos âmes et nos consciences, de s'auto-éduquer, de se transformer, se réaliser, se libérer tout en respectant notre entourage. Soyons conscients de notre potentiel à transformer nos chaînes humaines en ruban de beauté et de spiritualité.

Soyons doux mais persévérants. Ménageons nos mots, ils ont une portée bien plus puissante qu'on ne l'imagine. Nombre d'entre nous avons été marqués par des phrases tenues par des personnes inconséquentes, qui ne réalisaient pas les répercussions de leurs propos.

Que les mots qui vont suivre adoucissent l'amertume de ceux qui nous ont blessés.

ESPOIR

« Ils ne savaient pas que c'était impossible alors ils l'ont fait »

MARK TWAIN

« I had a dream »

MARTIN LUTHER KING

« Yes, we can »

BARACK OBAMA

« L'espoir est le pilier du monde »

PROVERBE AFRICAIN

« Au royaume de l'espoir, il n'y a pas d'hiver »

PROVERBE RUSSE

« Le chaos est rempli d'espoir parce qu'il annonce une renaissance »

COLINE SERREAU

L'ESPOIR FAIT VIVRE

L'espérance est cette conviction si humaine, si profonde, qui nous laisse envisager dans la brume de notre cœur que, demain, tout ira mieux. Que la pluie sur nos vies va finir par se lasser de tomber et que le soleil rayonne déjà d'impatience à l'idée de nous apercevoir au bout du chemin.

L'espoir est la lueur de nos âmes qui chuchote à nos esprits que l'on a raison de tenir bon, que la victoire est possible. Qu'elle n'est plus très loin.

L'espoir est ancré dans l'humanité. Sans lui, tout partirait à vau-l'eau. Chacun se dirait « perdu pour perdu » et notre monde, qui est déjà pas mal bancal, perdrait définitivement pied. Car l'espoir, l'autre jambe, celle qui résiste quand tout cède, se laisserait flancher aussi.

Ah non ! La vie est trop précieuse, l'amour trop palpitant, la sexualité trop extasiante, la nature trop splendide, la joie trop débordante, l'enfance trop innocente, la fraternité trop entraînante, l'entraide trop bienfaisante, la solidarité trop puissante pour devenir un vieux ronchon d'adulte, plein de boue dans les yeux, devenu incapable de voir les merveilles qui se déploient sous nos pieds à chaque instant.

Nos espoirs sont l'onction de nos rêves les plus prometteurs, le moteur de nos élans et l'unique lumière dans la nuit de nos peurs et de nos erreurs.

Sans espoir, l'homme cesse de croire et se fane.

ET SI NOUS COMMENCIONS À RESPECTER NOS RÊVES ?

Ils nous permettent si merveilleusement de nous dépasser, de trouver un but dans les petits mois gris de nos vies. Ils aident à tenir dans l'adversité, à persévérer dans la lutte, à braver la tête haute et le cœur plus léger les plus grandes difficultés.

Sans l'espérance, un homme n'est pas. Il devient robot, bourreau ou monstre.

Apprenons à être réalistes sans pour autant étouffer la flamme de nos plus beaux idéaux.

Persévérons dans la bonne espérance, et soyons certains que le bien l'emporte toujours. Parfois, il suffit simplement d'y croire, pour faire advenir un jour plus doux.

Ne jugeons pas pour autant ceux qui baissent les bras et capitulent en rejetant toutes formes d'espérance.

La souffrance rôde et cherche ses proies. Quand elle les trouve, elle leur vole leur étincelle. Les victimes, à force de côtoyer de trop près la souffrance, s'éteignent et deviennent « fatalistes » au point de nier toute forme d'espérance. C'est leur droit et cela se comprend bien.

Nous sommes tous nés avec cette soif d'espérer

Que ceux qui sont remplis d'espoirs communiquent leur enthousiasme à ceux qui en ont besoin. Sans forcer, sans dire. Seulement en souriant et en agissant. Cela suffit parfois à redonner du panache aux âmes déchirées.

Nous sommes tous nés avec cette soif d'espérer. Mais au même titre qu'un « capital solaire » s'épuise à force de trop de brûlures, notre « capital espoir » peut disparaître à force de trop de coups durs.

Nos déceptions et nos tristesses sont les arnaqueurs de l'espérance. Comment ne pas avoir envie de choyer ceux qui n'ont plus l'humeur, ni la capacité d'y croire encore ?

L'espoir est une forme de foi ancrée dans le concret de la vie. C'est une foi en l'homme, en ce qu'il a de plus beau et de plus doux.

Tant qu'il reste un souffle, il y a de l'espoir. Et si nous commencions à comprendre que notre vie est peut-être un grand voyage vers le soi et qu'après la vie terrestre, il y a la vie éternelle ?

Et si nous commencions à voir les choses avec un autre regard ? Comme si chaque difficulté était une grâce pour grandir et gagner son ciel ? Et si le véritable enjeu n'était pas d'avoir une vie confortable sur terre mais seulement de préparer celle de l'au-delà ?

Il y a de l'espoir !

ODE À L'ESPOIR

L'espoir doit renaître dans une volonté de
changement.
Cesse de jeter et tu ne seras pas rejeté.
Arrête de vivre comme un moins que rien
et tu seras digne.
Cesse de t'offrir trop vite et tu seras respecté.
Arrête de penser que rien ne change
et tout changera pour toi.
Cesse de te rendre malheureux et tu seras
heureux.
Arrête de croire que Dieu n'existe pas
et Il fera de toi un roi.

ENSEMBLE

« Toutes choses s'enchaînent entre elles et leur connexion est sacrée et aucune, peut-on dire, n'est étrangère aux autres, car toutes ont été ordonnées ensemble et contribuent ensemble au bel ordre du monde. »

MARC AURÈLE

« Nous devons apprendre à vivre ensemble comme des frères, sinon, nous allons mourir tous ensemble comme des idiots. »

MARTIN LUTHER KING

« Ce qui empêche les gens de vivre ensemble, c'est leur connerie, pas leurs différences… »

ANNA GAVALDA

Vraiment tous frères

Nous sommes tous semblables, musulmans, juifs, catholiques, hindouistes, bouddhistes, croyants, incroyants, riches, pauvres, noirs, blancs, jaunes, roux, blonds, bruns, bouclés, frisés, crépus, ondulés, hommes, femmes, enfants. Nous sommes tous faits de la même chair, dotés de la même conscience. La seule chose qui nous différencie vraiment relève de nos croyances et incroyances, qui émanent de nos différentes cultures et éducations.

Nous sommes tous égaux et avons tous les mêmes droits à la vie et à la dignité humaine. Nous sommes tous désirés et créés uniques bien que semblables. L'unité et la diversité humaine sont indissociables. Il suffit de regarder l'autre pour voir ce qu'il y a de commun et d'universel en lui. Et même si aucun de nous n'a vraiment le même visage, il est pourtant fait de deux yeux, d'un nez et d'une bouche. Aucun visage n'est à exclure de la nature humaine car il est avant tout sacré.

Tout humain naît avec une dignité, une même étincelle divine au creux de lui, quel que soit le Dieu de son cœur. Personne n'a le droit de compromettre cette dignité.

Tâchons de réaliser l'importance et la beauté du don de vie qui doit être honoré et respecté en chaque être.

L'AUTRE N'EST PAS MIEUX NI MOINS BIEN, IL EST SIMPLEMENT DIFFÉRENT

Et si nous formions tous, un ensemble et un tout ? Comme les cellules d'un corps à l'échelle du monde entier ? Chacun apporterait au grand prisme de la vie sa facette, sa personnalité unique et complémentaire à celle des autres.

C'est comme si, sans la présence de l'un d'entre nous, l'équilibre du monde pouvait se mettre à boitiller. Si l'autre est là, ici-bas, avec nous, au milieu de nous, c'est qu'il a sa touche à apporter à l'esquisse générale. Que cela nous plaise ou non. Qu'il ait mauvaise haleine ou pas, qu'il parle trop fort ou que sa tête ne nous revienne pas. Sans lui, le monde ne serait pas parfaitement monde mais comme amputé par l'absence d'une présence.

L'UNION DES CONTRAIRES FAIT LES PLUS BELLES FORCES

« Chaque grande nation considère sa défense avant la conservation de la paix. Le fait même que chaque nation entretienne ses forces, s'accroche à sa part de puissance avec une telle ténacité, implique que dans certaines circonstances elle se battra. Notre problème est donc de réconcilier la paix avec la défense nationale. »

NORMAN ANGELL

Nos préjugés, nos automatismes et nos peurs provoquent en nous le rejet de l'autre. Si nous prenions la peine de communiquer avec l'autre, de connaître sa famille, ses goûts, son histoire, on se rendrait compte qu'il nous fait penser à nous. Et on le prendrait en tendresse dans notre cœur.

Les élans d'altruisme se font rares dans un monde érigé sur la violence et la méfiance. Il faut dire que, par les temps qui courent, on entend plus souvent parler d'arnaques que d'entraide. Apprenons à mesurer nos échanges avec l'autre sans nous adonner à la méfiance afin de rester ouvert au flot de la vie et à ses cadeaux.

C'est lorsque nous accepterons nos différences et que nous les mêlerons intelligemment, que le mot ENSEMBLE prendra toute sa dimension de joie et d'élan bienfaisant.

N'est-ce pas l'union des contraires qui fait les plus belles forces ? Et si nous apprenions de l'autre, plutôt que de chercher à imposer notre mode de penser, nos convictions ou nos façons de faire ?

NOUS AVONS TOUS QUELQUE CHOSE DE SPÉCIAL À APPORTER AU MONDE

En s'attardant un peu sur les visages que l'on croise, on peut vite réaliser qu'il y a du beau et du lumineux en chacun d'eux. Même quand il faut bien chercher, on finit toujours par trouver le petit détail qui élève une personne. Cet infime soupçon de fossette qui donne du charme, cette bouche aux lèvres résolument ourlées, ce grain de peau d'abricot.

Il s'agit là de petits détails physiques, mais ne sont-ils pas aussi à l'image de nos caractères ?

En grattant un peu, on découvre toujours des trésors dans chaque personnalité comme dans chaque physique.

Et si nous commencions à chercher ce petit quelque chose de joli en tous ceux que nous côtoyons ? Et qui sait, en plongeant vers la lueur de l'autre, on pourrait bien trouver la nôtre.

Finalement, nous sommes tous d'accord...

Et pourtant, tant de sang a coulé par le passé et coule encore, alors que toutes les religions concordent sur les mêmes points « Essence-Ciels ». Et si nous apprenions ensemble à garder le message ultime, commun à tous les enseignements ?

Finalement, ne se résument-ils pas à ces deux préceptes qui ne tiennent qu'en un mot ? AMOUR.

1. L'AMOUR et le respect de l'être humain.

2. L'AMOUR du ciel et de la terre pour ses merveilles.

1. L'amour et le respect de l'être humain

Si chacun se cantonnait seulement à la moitié de « l'enseignement universel » et cherchait simplement à respecter l'autre, ce serait le bonheur assuré ici-bas.

Nous aurions gagné le grand défi de l'incarnation. Il ne s'agit pas de se jeter corps et âme dans des missions humanitaires nichées au bout du monde mais seulement de faire en sorte de ne pas créer de tensions autour de soi. Mieux encore ? Assainir les terrains « minés » de nos vies. Car, oui, on en a tous et, non, rien n'est impossible quand on veut changer les choses.

En donnant des coups de pouce çà et là, on bâtirait durablement un monde plus vivant et vivable. Est-ce si inhumain de faire un peu de bien ? Est-ce si compliqué de se réjouir franchement pour les autres ? Est-ce si difficile d'être simplement à l'écoute d'autrui ? Est-ce si pénible de prendre ensuite en considération ce qu'il dit ? Est-ce si difficile de demander pardon parfois ?

2. L'AMOUR du ciel et de la terre pour ses merveilles
Que ce deuxième précepte unanimement révélé contamine les cœurs à leur « bonne heure » pour leur plus grand bonheur.

QUE CHACUN JOUISSE DE SON DON DE LIBERTÉ DANS LE RESPECT DE SON VOISIN

Que ceux qui ont la grâce du don de foi prient pour leurs frères.

Que ceux qui ont foi en l'homme agissent pour le bien commun de leurs frères.

Ce n'est pas utopique, il est possible de faire ensemble un chemin terrestre aimant et altruiste. La recette de cette équation de paix? Que chacun y mette du sien sans juger l'autre. Que tous mobilisent ce qu'il y a de meilleur en eux. Et que les extrémistes comprennent par la loi du nombre que leur pouvoir est ridicule car, hormis une minorité armée, l'humanité milite dans son cœur pour la paix. Soyons partenaires de la paix et les puissances haineuses perdront de leur force.

LES PÈRES DES NATIONS SONT LES PÈRES DE LA PAIX UNIVERSELLE

D'où l'importance d'hommes d'honneur à la tête des gouvernements et non d'hommes préoccupés par les honneurs qu'ils vont pouvoir recevoir ou accorder.

Ceux qui commandent la guerre ne sont généralement pas ceux qui la subissent.

―――――――――――――――

« Se résoudre à la guerre quelle qu'en soit la raison est déjà un échec. »

MGR JACQUES GAILLOT

LE BIEN COMMUN DÉPEND DES BONNES ACTIONS DE CHACUN

Et si nous commencions dès maintenant à nous engager dans un monde plus savoureux? L'effet domino de nos bons gestes peut avoir des répercussions bien plus positives qu'on ne l'imagine. C'est le principe de « l'effet papillon ». Heureusement, il marche aussi dans le sens des bonnes causes.

Le principe est simple : chaque microgeste aimant, sourire, coup de main, siège cédé dans le métro, sandwich offert dans la rue, aura – pas sous votre nez dans la plupart des cas – une répercussion positive à un moment ou à un autre. Alors allez-y gaiement et ne comptez pas les bons points en retour. Mais soyez assurés que vous avez eu raison d'agir ainsi, car l'air de rien, en une poignée de secondes, vous venez de faire un beau petit pas pour l'humanité.

Faire le bien ici-bas relève d'un combat. C'est ainsi. Apaiser les tensions en tout genre demande patience et persévérance. Ce choix du bien se résume souvent à une lutte contre nous-même. Mais déjà, si chacun, à son échelle, pouvait assainir ses relations avec son entourage, tout irait bien mieux pour nous tous. Cela peut sembler utopique et pourtant l'idée est très pragmatique : si chacun y met du sien au quotidien, tout ira bien.

SI ON LAISSE LE RÔLE DU « BIEN » AU VOISIN, IMPOSSIBLE DE VOIR UNE AMÉLIORATION GLOBALE

Que celui qui pense n'avoir rien à assainir se dise qu'il a tout à changer.

Nous avons tous, chacun à notre stade, des améliorations à faire, des discordes à dénouer, des haines à apaiser, des rancœurs à digérer, des réconciliations à tenter et des belles choses à donner. Alors au boulot mes frères.

Prenez vos téléphones quand vous le sentirez, une carte postale quand ce sera le bon moment, tournez sept fois votre langue dans votre bouche et renouez ce qui mérite de l'être. Une chose est certaine : si on ne tente rien de bien, il ne se passera rien de mieux sur terre, ni sur Mars d'ailleurs.

PEU IMPORTE NOS CROYANCES ET NOS DIFFÉRENCES, CE QUI COMPTE C'EST NOTRE CAPACITÉ À AGIR ENSEMBLE POUR LE BIEN DE L'HUMANITÉ

N'est-ce pas cela la vraie foi ? N'est-ce pas cela le vrai amour ?

ET SI NOUS AVIONS BESOIN DES AUTRES POUR ÉVOLUER ET GRANDIR ?

Et si l'autre était celui qui allait nous permettre de réaliser qui nous sommes réellement ? Si nos échanges avec ceux qui nous entourent étaient la meilleure façon d'aller à notre essentiel ? Et si l'autre nous permettait de devenir meilleur ?

« Aime ton prochain comme toi-même. » Mais pour aimer les autres, encore faut-il s'aimer soi-même.

« Aime-toi pour aimer les autres » découle logiquement du magnifique enseignement de Jésus-Christ. Et pour s'aimer, ne faut-il pas se connaître ? Est-il possible d'aimer réellement et pleinement ceux et ce qu'on ne connaît pas ?

ET SI L'ACCEPTATION DE SOI DEVENAIT LA MEILLEURE FAÇON D'ACCEPTER SON VOISIN ?

Soyons réconfortant avec nous-même et nous deviendrons tolérant avec les autres.

Et souvenons-nous que c'est souvent celui qui nous rebute le plus au premier abord qui peut nous donner une leçon de vie salutaire. Alors détachons-nous de nos peurs et de nos idées mal fagotées, car cela pourrait bien entraîner l'envol serein de l'humanité.

ET SI CHAQUE SECONDE DE VIE AU MILIEU DES AUTRES ÉTAIT L'OCCASION RÊVÉE D'UN APPRENTISSAGE PERSONNEL ?

Cette idée est singulièrement encourageante quand l'autre nous irrite franchement.

Et si nos « adversaires », c'est-à-dire les autres versants de nous-même, devenaient le meilleur moyen de se découvrir et de s'aimer soi-même ?

Le moment où l'autre est prêt à nous faire sortir de nos gonds devient un tremplin vers notre essence profonde. Cette seconde d'irritation nous donne un accès privilégié pour tenter de corriger nos petits défauts.

L'AUTRE NOUS OUVRE LA VOIE ROYALE VERS NOUS-MÊME

Le moment précis où la tension se fait sentir entre deux ou plusieurs personnes devrait retentir comme un petit signal pour dire que, là, c'est le moment parfait pour une petite remise en question des uns et des autres.

La suite n'appartient qu'à vous pour trouver « honnêtement » le juste comportement à adopter, le bon compromis à faire qui prend en compte les intérêts de chacun sans nier celui de l'autre.

Parfois, on mettra de l'eau dans son vin, car l'autre n'a pas complètement tort. Parfois on devra dire à l'autre (toujours avec bienveillance et douceur mais avec clarté) que là, ce qu'il dit n'est pas correct et qu'il s'agirait peut-être de vous remettre en question tous les deux afin de trouver un terrain d'entente sain et équitable.

Et si l'autre est totalement à côté de la plaque, formulez-lui votre désaccord. Mais justifiez vos paroles et ressentis en douceur. La colère construit des barrières supplémentaires quand la douceur les démantèle.

C'est un peu comme une négociation au Monopoly®, on échange la rue de la Paix et les Champs-Élysées contre les jaunes, ça rouspète un peu sur le moment mais après le jeu repart.

RÈGLE « DU JEU DE LA VIE » À CONNAÎTRE MAIS QU'IL EST SOUHAITABLE D'APPLIQUER AVEC LOYAUTÉ

Parfois quand l'autre nous assène un défaut, c'est que ce défaut est particulièrement actif en lui. Ce sera alors à lui de se remettre en question, plus qu'à vous.

Mais de grâce, ne laissez pas votre mauvaise foi prendre le pas dans ce genre de contexte. Gardez toujours en tête et dans le cœur l'envie d'être meilleur(e) et non l'envie d'être meilleur(e) au combat de l'ego avec l'autre.

Sinon vous deviendrez un manipulateur et un dominateur. Et le venin repartira pour un tour dans le sang de l'humanité.

« Je suis convaincue que la paix commence par moi. C'est l'individu qui fait la différence. »

BETTY WILLIAMS

« J'accepte le prix Nobel de la paix au moment même ou vingt-deux millions de Noirs américains sont engagés dans une bataille créatrice pour mettre fin à la longue nuit de la ségrégation. [...] Cette récompense que je reçois au nom du Mouvement signifie que la non-violence apporte la réponse à la question politique et morale cruciale de notre temps, exprime la nécessité pour l'homme de vaincre l'oppression et la violence sans avoir de recours à la violence et à l'oppression. J'accepte ce prix aujourd'hui avec une foi inébranlable dans l'Amérique et dans l'avenir de l'humanité. »

MARTIN LUTHER KING

« La justice et la paix ne peuvent prospérer qu'ensemble. »

OSCAR ARIAS SANCHEZ

« Pensez à cette réalité : "Même si je recours à la violence, le problème ne sera pas résolu. Il persistera mais il y aura destruction ou souffrance mutuelle." Nous sommes contraints de résoudre les problèmes par d'autres moyens : le dialogue, le compromis. [...] Par un esprit de réconciliation : respecter totalement les opinions des autres, leurs droits, ayez le souci authentique de leur bien-être. Puis, faites des compromis. C'est la seule voie. »

TENZIN GYATSO, 14ᵉ DALAÏ-LAMA

« Nous ne construirons pas un monde pacifique en
suivant un chemin négatif. Il ne suffit pas de dire : "Nous
ne devons pas faire la guerre." Il faut aimer la paix et se
sacrifier pour elle. Nous ne devons pas nous concentrer
uniquement sur la négation de la guerre mais sur
l'affirmation positive de la paix. »

MARTIN LUTHER KING

UN NOUVEAU MONDE, UNE NOUVELLE PAIX

Et si l'année précédente avait été la fin d'un monde ?
Comme si notre terre avait quitté une vieille énergie
usagée et obsolète pour faire peau neuve ? Et si, à
partir d'aujourd'hui, nous avions vraiment la possibilité
de vivre en prenant de la distance par rapport aux vieux
schémas de domination qui nous ligotaient jusqu'à
présent.

Et si, en ces temps nouveaux, nous pouvions enfin tisser
des rapports plus sains, justes et équilibrés. Et si, cette
entrée dans une nouvelle année était une renaissance, le
passage à la maturité qui sait désormais distinguer ce qui
est vrai de ce qui ne l'est pas. Comme un enfant qui a
grandi et qui sait enfin se comporter en un petit homme
à la tête haute, doué et responsable.

LA PAIX NOUS TEND LES MAINS ET A BESOIN DES NÔTRES

La paix n'est pas lointaine, ni réservée à une élite de penseurs ou de spirituels. Elle EST au milieu de nous comme un souffle vivant et purificateur. Elle EST notre droit le plus absolu, il n'y a plus qu'à croire en elle et la laisser travailler en nous tous et entre nous. Au même titre qu'une ville s'éclaire peu à peu à l'aube, la lumière de la paix commencerait à s'allumer, à scintiller peu à peu dans le cœur des hommes.

La paix attend ses bâtisseurs qui ne sont autres que chacun de nous. Jean Paul II, à Assise en 1986, lors de son discours face aux représentants de toutes les religions de notre monde, disait ces mots : « Que les jeunes aident à libérer l'histoire des fausses routes où se fourvoie l'humanité ! La paix n'est pas seulement entre les mains des individus, mais aussi des nations. Aux nations revient l'honneur de fonder leur action pacificatrice sur la conviction que la dignité humaine est sacrée et sur la reconnaissance de l'indiscutable égalité des hommes entre eux. »

Que la jeunesse soit le renouveau qui insuffle en douceur et en souplesse des nouveaux codes entre les hommes. Qu'ils militent en gardiens de paix, avec comme armes aux cœurs la non-violence et l'envie de démocratie.

Que le mot démocratie s'accompagne de ses préceptes et renaisse dans le vrai respect de ses valeurs à travers des actions démocrates.

Faire la paix sans faire la guerre

« J'en suis arrivée à croire avec Gandhi que, par notre paix intérieure, nous sommes sensibilisés pour nous soucier de Dieu, de nous-même, des autres et de la terre. Nous pouvons devenir alors de vrais serviteurs de la paix. C'est en cela que réside le pouvoir de la non-violence. »

MAIREAD CORRIGAN

Le printemps arabe, en 2011, nous a montré qu'il est possible de faire la paix, sans faire la guerre. L'Égypte s'est dressée comme un ange au nom de la liberté et de la justice. Sa cause était juste. Sa réalisation aussi.

Cet exemple concret montre qu'il est possible d'inverser des systèmes sans décimer l'humanité. Ces luttes demandent d'autres armes. Des armes enfouies dans nos cœurs depuis notre création qui ne demandent qu'à jaillir au nom du bien commun. Des armes faites d'amour, de respect, d'unité, d'entraide, de sens de la famille, de persévérance et de patience. Nous sommes tous, à notre manière, écœurés par la haine qui s'acharne encore.

Nous voulons tous la paix. Nous voulons tous que nos enfants grandissent dans la paix. Alors cherchons-la ensemble et nous la trouverons ensemble.

S'accorder d'être en paix

« Le commerce des armes relève de la perversion économique. On y investit des sommes colossales qui sont une injure à la misère. Ce trafic ne peut engendrer que de nouveaux conflits. Les armes ne sont-elles pas faites pour que l'on s'en serve un jour ? Pas de paix sans justice. Or, c'est la justice entre les peuples qui garantit la paix. C'est aussi un défi pour les religions. Sauront-elles renoncer à la violence et l'éradiquer de leurs traditions ? Ne faisons pas Dieu à notre image, c'est-à-dire un Dieu guerrier. Ne l'enrôlons pas sous nos bannières car c'est un Dieu de paix. »

MGR JACQUES GAILLOT

En faisant la paix avec nous-même, nous apportons notre contribution au bien-être du monde. Que de souffrances, que de personnes mal dans leurs vies et dans leur peau. La vie est aussi dure que merveilleuse, alors pourquoi en rajouter une couche avec des conflits intérieurs inutiles ?

Trouver l'équilibre et la stabilité à l'intérieur de soi est déjà le pari d'une vie gagnée.

Sois en paix et tu communiqueras cette paix

« Dans mon pays, de nombreuses ethnies coexistent. Elles n'ont pas été capables de vivre ensemble, parce que nous n'avons pas confiance les uns en les autres. Sans cette confiance, la paix est irréalisable. »

AUNG SAN SUU KYI

Chacun a des choses à transformer en lui et autour de lui pour être en paix.

Devenons conforme à ce que nous attendons de nous-même, sans pour autant chercher à être quelqu'un d'autre. En nous harmonisant, en nous unifiant, en nous réconciliant avec nous-même et avec notre entourage, on contribue bien plus qu'on ne l'imagine à l'harmonie de l'humanité.

Se réconcilier avec soi-même peut paraître au premier abord futile. Mais rien n'est futile tant que cela crie en nous.

Tout comme il est important de mettre le doigt sur ce qui freine notre bonheur et de réaliser ce qui nous rend fondamentalement heureux pour enfin vivre en paix.

En faisant la paix avec nous-même, puis avec notre entourage, nous guérissons l'humanité.

TROUVER UNE SÉRÉNITÉ MÉRITÉE

Chacun a ses raisons et elles ne sont pas discutables. Le tout est de s'autoriser à aller mieux… car la vie est plus douce pour nous et pour ceux qui nous côtoient quand on arrive à trouver notre sérénité méritée. Nous sommes nés pour être heureux. Nous sommes capables d'être heureux, alors commençons à bâtir notre bonheur en cherchant notre paix intérieure et nous deviendrons témoins et ambassadeurs de la paix universelle.

Pour être en paix, dépasse tes peurs

Nos craintes et notre mal-être sont les choses à dépasser et à résoudre pour gagner sa paix.

S'autoriser à dépasser ses craintes, c'est tendre vers une vie plus harmonieuse, sereine et belle.

Pour information, il ne s'agit pas simplement de formuler dans sa tête « mes peurs sont les choses à dépasser pour que je sois en paix » et de penser que le travail vient d'être fait.

Non. La partie sera gagnée seulement quand vous ne vous ferez plus avoir par vos peurs.

En ayant conscience de cet objectif dans votre quotidien, vous deviendrez « bâtisseur de votre paix intérieure et terreur de vos peurs ». Et cela sera déjà un beau grand pas de fait.

PARDON

« Le pardon, quel repos ! »
VICTOR HUGO

« L'erreur est humaine,
le pardon divin. »
ALEXANDER POPE

« L'homme qui pardonne ou qui
demande pardon comprend qu'il y a
une vérité plus grande que lui. »
JEAN PAUL II

« Si nous sommes plein de péchés,
Dieu ne peut nous remplir, car Dieu
lui-même ne peut remplir ce qui est
plein. Voilà pourquoi nous avons
besoin du pardon : nous nous vidons et
Dieu nous remplit de lui-même. »
MÈRE TERESA

LE PARDON N'EST PAS AU BOUT DU CHEMIN, IL EST LE CHEMIN

C'est pour cette raison que l'on peut passer une vie entière avant d'arriver à vraiment pardonner. Être en paix avec soi-même et avec les autres exige du temps et de la patience.

LE PARDON SE FAIT EN PLUSIEURS ÉTAPES TOUT AU LONG DE NOTRE VIE

Acceptons de prendre du temps, de trébucher, encore et encore, sur les mêmes blocages et rancœurs avant de réussir à atteindre le « vrai pardon ».

Ne culpabilisons pas du temps que l'on prend pour pardonner. Ruminer une offense (consciemment ou inconsciemment) est un excellent signe de notre humanité. Mais pour évoluer, il est bienfaisant de prendre conscience des moments où l'on mastique un problème pour passer à l'étape suivante : la digestion dudit problème.

LES INGRÉDIENTS DE LA RECETTE DU PARDON ?

La prise de conscience du mal subi → La reconnaissance de la souffrance → L'acceptation du dépassement de l'offense → Le pardon → l'ancrage du pardon → l'élimination du mal par la prise de distance par rapport au mal → La libération → La paix intérieure.

LE PARDON, C'EST LA VOIE ROYALE DE LA LIBÉRATION

Une des conditions pour atteindre le bonheur est de se décharger de ce qui pèse en nos cœurs. Un cœur lourd n'a d'autre choix, pour retrouver sa légèreté et sa douceur, que de se libérer.

Le remède pour les maux du cœur? Le pardon. En pardonnant, le mal s'envole et fait place neuve pour une vie meilleure, plus belle et plus libre.

Pour éliminer un mal, il est primordial de pardonner le mal. Car pardonner permet d'entamer un «processus d'élimination et de digestion du mal».

ET SI NOS ÂMES FONCTIONNAIENT COMME NOS CORPS?

Notre «processus d'élimination d'une souffrance par le pardon» ne peut-il pas se comparer à celui «d'élimination d'un aliment par notre organisme»?

Notre corps fait spontanément et de manière innée un travail de digestion au quotidien. Et si nos âmes en faisaient autant, à notre insu, avec l'immatériel de nos vies?

Et si chaque information, événement, parole, était instantanément assimilé, filtré, stocké dans les creux de nos âmes?

Et si, pour alléger la lourdeur de certains actes – ou événements traumatisants qui pèseraient en nos cœurs –, il fallait simplement les faire ressurgir, *via* le pouvoir de notre conscience ?

Et si nos précieuses consciences étaient l'outil parfait qui permet la « digestion » et l'« élimination » des toxines de nos âmes et de nos esprits ?

Nos corps « digèrent, transforment, trient et éliminent notre alimentation au quotidien ». Et si nos âmes en faisaient de même en tentant de trier, filtrer les informations et événements de nos vies depuis notre conception jusqu'à aujourd'hui ?

Nos âmes n'attendent que nous pour aller mieux

Nos consciences sont un peu « les intestins de nos âmes ». Elles nous aident à digérer les offenses qui nous pèsent et dont il est peut-être temps de se libérer.

Rassurons-nous, « le processus de digestion d'une souffrance », une fois enclenché, est finalement aussi instinctif que celui d'un aliment. Il prend juste plus de temps car il se mesure à l'échelle de nos vies.

ÉLIMINATION D'UNE SOUFFRANCE EN TROIS GRANDES ÉTAPES MAJEURES

La comparaison entre notre « système digestif corporel » et notre « système digestif spirituel » est insolite mais pourquoi pas ?

Le système digestif spirituel peut s'imaginer ainsi :

Étape 1 – Assimilation du mal = Acceptation du mal que l'on a vécu (sans nier la douleur).

Étape 2 – Digestion du mal = Action de transformation du mal (prise en compte de sa responsabilité, de celle des autres, faire le discernement entre ce qui est juste ou non).

Étape 3 – Élimination du mal par le pardon = Prise de distance par rapport à l'événement.

• Au même titre qu'un aliment fait son petit trajet en nous avant d'être transformé puis éliminé de notre organisme, une douleur, une fois conscientisée, se fraye son chemin dans nos âmes et se digère grâce au filtre de notre conscience (ici système digestif de nos âmes) avant de s'évaporer pour nous libérer et nous laisser léger et serein.

• La digestion de nos âmes est savamment plus lente que celle de notre organisme. Les enzymes à sécréter sont faits de compassion, de douceur, de discernement, de lucidité, d'attention et de reconstruction.

QU'EST-CE QU'UN « VRAI PARDON » ?

C'est celui qui fait qu'on ne rumine plus. On ne ressasse plus l'offense. On a lâché le morceau, pas pour s'en débarrasser mais pour se libérer. L'offense n'a plus de prise sur nous, et même quand on en reprend une dose (ça arrive souvent) l'attaque nous glisse alors dessus. Ce détachement digne d'un « rêve » quand on combat une souffrance est à bâtir en son âme et conscience.

Pour que ce « rêve » de détachement devienne votre « réalité », il va falloir le rendre possible. Ce travail de transformation de la blessure n'appartient qu'à vous. Il commence par le pardon.

QUEL EST LE BON MOMENT POUR PARDONNER ?

Le vôtre ! Celui où vous vous sentirez prêt(e). Faites confiance à votre petite flamme intérieure, elle vous guidera pour vous aider à bien faire les choses. Ne vous repliez pas sur vous. Ayez confiance en vous et en la vie. Et soyez certain(e) que chaque pas vers une libération est toujours soutenu et guidé par une ressource qui nous dépasse.

Parfois, quand l'offense est trop « fraîche », il est bon de la laisser « reposer » pour un petit temps, sans « l'enfouir » pour autant. Ce « sas de décompression » permettra de reprendre des forces en vue de mieux panser la plaie émotionnelle au fil des mois.

Suite à un gros choc émotionnel, chacun réagit à sa manière, suivant ses possibilités et ses spécificités. La réaction de chaque individu est à respecter car elle lui est propre et « spontanée ». Le mieux reste, dans le respect du processus de chacun, de parler à un spécialiste de confiance afin de libérer l'épicentre et la première strate du choc.

Pour les strates suivantes il faut faire confiance au temps. Il est important de se confier, de pleurer, de vider « son sac de bleus de l'âme et/ou du corps » pour ne pas stocker le mal et un jour le nier. Car quand on nie un mal, on le rend impossible à assainir par le pardon.

L'IMPORTANT ? FAIRE UN PREMIER PAS VERS LA LIBÉRATION, LES AUTRES SUIVRONT

L'important c'est d'activer le processus de libération, quand vous vous sentirez prêt(e) intérieurement. Vous ressentirez naturellement votre « bon moment » car, en général, tous vos sens vous l'apportent comme sur un plateau au moment opportun.

POUR BIEN PARDONNER, IL FAUT BIEN RECONNAÎTRE LE MAL DANS TOUTE SA VÉRITÉ

Seuls les maux conscientisés peuvent être pardonnés et libérés. Si on minimise la douleur, elle ne pourra pas être pleinement libérée.

C'est aussi pour cela que le pardon prend du temps. Car il y a tout un travail en amont de « mise en lumière du mal » par votre conscience. Ce travail est généralement douloureux pour tous ceux qui l'entament.

Le mieux reste de se faire accompagner par un spécialiste. L'écoute et la bienveillance de votre accompagnateur sont primordiales pour ne pas vous enfermer dans une tristesse qui isole.

DEMANDER PARDON OU ACCORDER UN PARDON DEMANDE HUMILITÉ ET COMPASSION

Vous n'avez aucune honte à avoir. Le mal fait malheureusement partie de ce monde et peut frapper quiconque, à toute heure et en tout lieu. Vous n'avez pas à vous juger ou à être jugé(e), mais seulement à tenter de rétablir la situation pour ne pas laisser au mal le contrôle de votre vie.

Il est important de prendre conscience de votre dignité humaine dans les moments de grande fragilité afin de ne pas perdre pied. Et n'oubliez pas que l'offenseur, malgré ses torts, a lui aussi une histoire et une dignité à prendre en compte.

LE PARDON DOIT SE FAIRE EN DOUCEUR CAR IL EST LE FRUIT DE L'AMOUR QUI EST EN VOUS

Le but n'est pas de faire un esclandre tout autour de vous et d'en vouloir à la terre entière au nom de votre souffrance. Il est essentiel de bien comprendre qu'on ne doit pas faire « n'importe quoi » au nom de celle-ci.

Bien au contraire, idéalement, notre souffrance devrait se mettre au service de notre envie de ne pas la perpétuer à nouveau.

Il est important de dire les choses pour qu'elles s'améliorent mais sans pour autant jeter continuellement sa douleur, sa haine, et le mépris qui l'accompagne au visage des autres. Plus facile à dire qu'à faire. D'accord. Mais c'est possible.

« Craquer » et « déborder » au départ, pourquoi pas. Mais le but du pardon est de ne plus en vouloir à l'autre à terme.

Le pardon, s'il est vrai et puissant, doit gommer le mépris, la haine et la rancune. Sinon, il ne s'agit pas d'un pardon mais plutôt d'une vengeance froide.

« Pardonner est une action plus noble et plus rare que celle de se venger. »

WILLIAM SHAKESPEARE

POURQUOI PARDONNER ?

Le pardon est une possibilité offerte à l'être humain de devenir heureux. Pour autant, il va à l'encontre de sa première tentation : rendre le coup par un autre coup. Ma grand-mère disait avec tout le bon sens qui la caractérisait : « Dans la vie, on pardonne mais on n'oublie pas. » Cette phrase voulait sûrement prévenir l'enfant que j'étais qu'il faut savoir pardonner, mais tirer au passage un enseignement de l'offense subie. Le but ? Transcender la souffrance en force morale et bienfaisante.

Il est vital d'apprendre à tirer un enseignement positif d'un coup de massue qu'on a reçu, pour grandir et se fortifier.

Il n'y a pas de solution miracle, ni de potion magique à absorber pour pardonner. Mais il y a votre démarche et votre envie de faire un pas vers la délivrance morale. Et c'est la plus belle chose que vous pouvez vous offrir et offrir aux autres ici-bas… Alors haut les cœurs et courage !

LE PARDON EST LE BAUME CICATRISANT DE NOS BLESSURES

Le pardon est un moyen efficace d'éloigner la douleur du mauvais coup reçu. Et donc de cicatriser sa plaie intérieure.

À l'inverse, en refusant de pardonner on reste « collé au mal » qui nous a déjà frappé. On lui laisse une nouvelle opportunité de nous faire encore plus mal en le faisant durer.

Imaginez qu'on vous a brûlé de manière terrible, mais que vous restez près de la braise qui vous a meurtri pour le restant de votre vie. En agissant ainsi, votre blessure n'aura aucune occasion d'être apaisée car vous restez trop près de la source qui vous a fait mal. Votre âme peut cicatriser seulement si vous prenez du recul.

Sans pardonner, vous cultivez inconsciemment le mal par le mal et vous devenez, sans le réaliser, son meilleur complice. Eh oui, le mal est insidieux, il vous entraîne dans son esclavage pour mieux vous tenir.

EN PARDONNANT ON S'AIDE DEUX FOIS

Le pardon est une façon de vous arracher au mal, de vous donner une chance de sortir la tête de l'eau, de respirer à nouveau et de vivre fortifié par cette expérience qui aurait pu vous achever.

En pardonnant à l'agresseur et l'agression, en vous pardonnant aussi de ne pas avoir mieux géré l'offense ou la situation, en assainissant le terrain miné, vous vous aidez deux fois.

La première fois, car vous vous émancipez du problème. La seconde, car vous cessez de vous infliger le reste du venin en refusant le costume de la victime.

Ne pas rentrer dans un schéma de victime est primordial pour sortir votre jolie tête de l'eau. Rester en position de victime détruit plus doucement mais malheureusement aussi sûrement que l'offense initiale.

PARDONNER, C'EST SE DONNER L'OPPORTUNITÉ DE SE RELEVER APRÈS ÊTRE TOMBÉ

En plus, l'action de se relever aura musclé votre être dans toutes ses dimensions… Être à nouveau debout permet de faire de nouveaux pas, sains et plus assurés sur les chemins de la vie.

« TOUT CE QUI NE TUE PAS REND PLUS FORT »

C'est vrai. Ceux qui tombent et se relèvent voient des choses et en comprennent de nouvelles, car ils ont expérimenté la chute dans toutes ses étapes. De la mise à terre à la relève. Ils savent au fond de leurs tripes ce qu'une épreuve peut faire ressentir.

Ceux qui ne sont jamais tombés auront parfois plus de mal à saisir un des dons suprêmes de notre humanité : l'empathie.

Tomber peut devenir (avec une belle dose de recul) une magnifique occasion, bien que musclée, de s'élever dans sa vie. La chute se transforme en grâce si l'on arrive à digérer et transformer le mal en bien.

L'EXPÉRIENCE DU COMBAT EST SOUVENT UNE OCCASION DE SE RAPPROCHER DE SA VÉRITÉ

Ce n'est pas systématiquement vrai, mais à bien y réfléchir, les plus belles choses sont souvent nées de contraintes, non ? C'est généralement dans le manque que l'on devient génial.

Sans contrainte, l'homme a naturellement tendance à « moutonner » sans trop se remettre en question. C'est une voie comme une autre, mais la détresse est souvent un accélérateur de réflexion. Ce n'est pas toujours drôle, mais c'est ainsi.

Et si ce qui nous arrivait était à la mesure de ce que l'on peut supporter ? Et si, parce que cela nous arrive à nous, c'est que nous avons la clef parfaite au creux de notre âme pour vaincre ce mal précis ?

N'avez-vous pas remarqué que le même mal retombe souvent sur nous et sur nos proches? Y a-t-il un sens à cela? Pouvons-nous imaginer que lorsque l'on terrasse un « mal récurrent », on va le guérir au passage pour les autres?

NOUS SOMMES TOUS DOTÉS DE LA CAPACITÉ DE TRANSFORMATION DU MAL EN BIEN

Et si un plan divin avait besoin de chacun de nous pour transmuter le mal de ce monde en bien? Et si nous étions les parfaits ouvriers d'une terre meilleure? Et si notre incarnation n'avait qu'un but, anéantir le mal par le bien, le laid par le beau, la discorde par la concorde? Et si l'infiniment grand, dans son amour sans faille, dans sa bienveillance infinie, avait trouvé juste et bon d'avoir besoin de l'infiniment petit, nous les hommes, pour enrayer l'ennemi?

Y a-t-il plus grand amour que de proposer un plan de communion, de comme-une-union entre le divin et l'humain? Comme pour garantir le beau et l'harmonie dans ce monde où règnent la souffrance et ses mauvais complices. Qui sait? Pour les chrétiens par exemple, le divin s'est incarné en un homme, Jésus de Nazareth.

Et si Jésus avait fait un premier pas à emboîter pour permettre un monde meilleur? Et si l'enjeu était d'imiter le Christ et d'être réceptifs aux enseignements de tous les prophètes, de toutes les religions qui prônent l'amour pour vaincre les ténèbres une bonne fois pour toutes?

D'ailleurs peu importe les hommes à suivre, si ce sujet doit nous mener pauvrement à la discorde. Ce qui compte, c'est l'application de l'enseignement qui mène dans les contrées de la paix universelle.

N'y a-t-il pas un message commun à toutes les religions ? L'amour ?

UNE CHOSE EST CERTAINE : IL N'Y AURA PAS DE PAIX SANS PAIX !

Un moyen d'action efficace ? Faire la paix avec nous-même, et avec l'autre. Finalement, l'adversaire n'est-il pas simplement l'autre versant de nous-même ?

Et si, en pardonnant l'autre, on éclaircissait au passage notre part d'ombre ?

PARDONNER POURQUOI PAS, MAIS COMMENT ?

Une règle d'or est à retenir : il n'existe pas de moitié de pardon. Pour qu'un pardon soit bénéfique il faut l'accorder en profondeur et pas seulement en surface.

Toutes les méthodes sont bonnes pour pardonner. Et celles que vous adopterez seront celles qui vous iront à la perfection, puisqu'elles viendront de vous.

De simples mots font des miracles parfois, mais bien sûr, il faut souvent de la patience pour en voir les fruits. Une chose est garantie : commencer à pardonner, c'est déjà se relever...

Le but n'est pas de vous plomber en vous replongeant dans un passé douloureux mais de vous aider à aller de l'avant. Si vous en ressentez le besoin, n'hésitez pas à vous orienter vers des spécialistes de l'écoute. Il existe beaucoup d'organismes, d'associations bienfaisantes. Renseignez-vous auprès de votre mairie, lieux spirituels, centres hospitaliers. Ils sauront vous guider vers les bonnes personnes. Soyez vigilant toutefois de ne pas tomber dans des mouvements douteux. Mieux vaut passer par des organismes d'État ou reconnus pour éviter toutes dérives qui peuvent vite arriver quand on est dans une vague de fragilité.

PARDONNER

Ceux qui pardonnent sont les guérisseurs
de l'humanité
Plutôt que de ressasser l'offense du dommage,
plutôt que de rêver de revanche
ou de vengeance,
ils arrêtent le mal d'eux-mêmes…

Pardonner, c'est l'acte le plus puissant
qu'il soit donné aux hommes d'accomplir.
L'événement qui aurait pu faire grandir
la brutalité
dans le monde sert à la croissance de l'amour.

Les êtres blessés qui pardonnent
transforment leur propre blessure.
Ils guérissent – là où ils sont – la plaie
qui défigure
l'humanité depuis ses origines : la violence.

L'homme qui pardonne ressemble à Jésus.
L'homme qui pardonne rend Dieu présent.

PÈRE GÉRARD BESSIÈRE

« L'élan fait partie du saut. »

HALLI SARKIS

« Pour aller de l'avant, il faut prendre
du recul. Car prendre du recul, c'est
prendre de l'élan. »

MC SOLAAR

À TROP VOULOIR CONNAÎTRE DE CHOSES, ON EN PERD SON ÉLAN VITAL

L'élan est un mouvement du cœur, un cri de l'instinct qui nous murmure: «vas-y, lance-toi, c'est bon pour toi». Il n'est pas le résultat d'un savant calcul, ni l'aboutissement d'un tas d'études scientifiques. Il est là, car le cap que l'on s'apprête à passer est vital.

L'élan est plein d'enthousiasme et de générosité mais pour qu'il mène au saut juste, il faut le canaliser en se concentrant sur le but à atteindre. «Qui veut voyager loin ménage sa monture», disait Jean Racine. Eh bien, qui veut faire le bon saut prépare ses chaussures. L'élan prend sa force dans l'espoir et se perpétue dans la foi du bien-fondé de l'action qu'il précède.

QUAND L'ÉLAN EST LÀ, TOUT EST POSSIBLE

L'élan est beau et quand il nous fait faux bond, impossible de faire le grand saut. L'élan donne de l'ampleur, fait pousser des ailes dans le dos de nos meilleures initiatives. L'élan donne de la grandeur à l'action et déploie l'envergure nécessaire à nos démarches dès lors qu'elles sont sincères. Alors confiance, quand l'élan se prépare et qu'il se mélange à nos envies de bien faire, tout est possible.

L'ÉLAN ANNONCE DES CHANGEMENTS DE CAP

Les petits pas de la vie se font comme on peut. L'élan, lui, annonce des changements de cap, des virages à droite, des seuils à franchir. C'est ce coup de vent qui borde la voile au bon moment et donne la possibilité au navire que nous sommes de faire ses manœuvres ou de persévérer vers le bon cap, même dans la tempête.

L'élan, c'est un souffle salvateur venu d'on ne sait où mais qui nous porte au moment opportun pour nous encourager à affronter nos destins.

L'ÉLAN FÉCONDE LA PART EN NOUS QUI VEUT ÉVOLUER

L'élan peut durer toute une vie si l'on sait cultiver son soutien avec endurance. C'est une énergie qui accompagne, qui nous nourrit et que nous devons cultiver pour qu'elle puisse agir encore. L'élan féconde la part en nous qui veut évoluer. Il nous porte jusqu'au succès de nos plus belles quêtes. Il nous prend la main et nous dit : « vient, ose, c'est maintenant ». L'élan pourtant avait pris racine en nous depuis bien longtemps. Des années avant le passage à l'action.

LES ACTIONS QUI JAILLISSENT D'ÉLANS MESURÉS, DE FOLIES RAISONNABLES SONT L'OR DE NOS VIES

L'élan peut s'amalgamer sur une décennie. Plus il sera lent dans sa maturation, plus il sera sage et salvateur lors du passage à l'action, car il est primordial de réfléchir et de mûrir avant d'agir. Les actions qui jaillissent d'élans mesurés, de folies raisonnables sont l'or de nos vies, le fleuron de nos destins. Le dosage entre réflexions et actions est subtil et personnel. Mais ayons confiance. La vie est bien faite, le bon moment vient toujours frapper à notre porte à la bonne heure !

Un mur peut devenir la porte du bonheur

Parfois l'élan nous projette encore violemment dans le mur. C'est vrai. Mais c'est aussi la vie. Et le mur nous met au pied de nos réalités et nous ouvre une voie pour changer. Le mur devient un passage à franchir pour s'améliorer. Le mur nous donne une clef pour modifier ce qui n'est pas juste en nous et autour de nous.

Alors l'élan n'aura pas été vain. Il nous aura fait passer la marche. Celle de la compréhension simple qu'il y a des choses qui nous rendent heureux et d'autres qui nous rendent malheureux. Un mur peut devenir la porte du bonheur.

Le « Terralauréat » pour les nuls

Notre terre n'est pas le royaume des cieux mais la terre de la mise à l'épreuve. Pour réussir son « Terralauréat » qui serait un peu notre « baccalauréat d'incarnation », il faut simplement être « cool » avec les autres et avec soi-même.

Devenir meilleur n'est pas sorcier, c'est même tout à fait dans nos cordes humaines, alors qu'attendons-nous ? Jésus-Christ et bien d'autres prophètes nous ont donné un chemin d'amour et de justice à suivre pour être heureux, mais avons-nous seulement appliqué leurs conseils? Comment voulez-vous que l'on soit heureux si nous nous entêtons à vouloir arranger les codes d'un monde auquel nous appartenons mais qui ne nous appartient pas?

« Prenez le temps de penser, c'est la source de l'action. »

PROVERBE IRLANDAIS

« Dieu nous a créés pour que nous réalisions de petites choses avec grand amour. Les petites choses sont en effet petites, mais d'être fidèles à celles-ci, c'est ce qu'il y a de plus grand. »

SŒUR EMMANUELLE

« La tâche importante du progrès du monde ne saurait attendre d'être accomplie par des hommes parfaits. »

GEORGE ELIOT

« Il est temps de commencer à vivre la vie dont vous avez rêvé. »

HENRY JAMES

« Celui qui déplace une montagne commence par déplacer de petites pierres. »

CONFUCIUS

ACTION

Ne faisons pas de nos vies des performances, mais des actes

Ce qui sclérose nos passages à l'acte c'est l'idée que, pour faire grand, il faut viser la perfection. Face à une telle pression, on finit par baisser les bras car le découragement se fait trop pressant. La vie est faite de petits pas. Ces petits pas les uns à la suite des autres donnent de belles avancées. Viser des pas de géants, du haut de notre taille humaine, nous bloque et nous condamne à faire du surplace.

Si l'on vise le sommet d'une montagne, sans commencer à se mettre en marche, on trouvera toujours une bonne raison pour ne pas la gravir. Trop de vent, trop tard, il va peut-être pleuvoir. Avant d'agir, il faut réfléchir, se préparer, prévoir, accepter de se tromper, tenter, persévérer et parfois recommencer.

Le passage à l'action demande de l'humilité

Eh oui, l'action engendre la possibilité de l'échec. Et si nous ne sommes pas capables d'accepter l'échec, le passage à l'action sera impossible.

Il est vrai que la meilleure façon de ne pas se tromper reste encore de ne pas essayer. En ne prenant aucun risque, on réduit la marge d'erreur. Oui. Mais on en vient à végéter alors que nous sommes nés pour vivre.

Rester drapé dans des peurs inutiles ou dans un sentiment de toute-puissance nous fait régresser au lieu d'avancer.

STAGNER, C'EST RECULER

Mieux vaut se tromper et apprendre de ses erreurs que de rester ligoté dans des peurs en oubliant de vivre. La vie est une expérience. Et c'est parce que nous sommes imparfaits que nous sommes ici-bas.

Alors, autant relever le défi avec nos faiblesses plutôt que de céder à la faiblesse de ne rien tenter.

IL FAUT DU COURAGE POUR PASSER À L'ACTION

Ne jugeons pas ceux qui semblent s'enliser dans l'action. Ils ont le cran d'essayer. Personne n'est dans le secret du cœur de ceux qui osent agir. Admirons et soutenons, car tenter parfois, c'est seulement faire du mieux que l'on peut et comme on peut. Ce n'est pas parfait, mais ça a le mérite d'exister.

Apprenons de nos erreurs et de celles des autres pour gagner en maturité et lançons-nous de nouveau, car la vie ne se bâtit pas sur une action évanouie. Mais l'action est une évolution qui dure toute la vie.

AGIR, C'EST SE FAIRE CONFIANCE

Pour se lancer, il faut oser se faire confiance. Si nous sommes dépourvus de cette confiance, on n'aura jamais l'audace de prendre un pinceau et de se mettre à peindre.

Sans confiance en soi, impossible de faire un pas sans béquille.

Osez, car vous êtes bien plus doués et précieux que vous ne l'imaginez.

Osez, car si vous en avez envie, c'est que c'est fait pour vous.

IL FAUT OSER POUR ÊTRE HEUREUX

Si on n'ose pas, si on ne tente pas sa chance dans le concret, on vit de frustrations en frustrations et puis on meurt.

PRENONS DES RISQUES MESURABLES, CADRÉS DANS DES FOLIES QUANTIFIABLES, ET AGISSONS

Cessons de saboter nos propres actions. Laissons-nous du temps, ne nous jugeons pas au premier faux pas. Si nous sommes trop sévère avec nous-même, l'équation de la réussite sera bancale. Lâchons du lest. Ne nous bridons pas.

Semons dans l'action et, avec un peu de chance, nous récolterons.

Méfions-nous des belles paroles coupées du geste

Les paroles coupées du geste sonnent comme de faux espoirs. Mieux vaut se taire que de dire sans s'y tenir.

La joie de l'âme repose dans l'action

L'action est le moment où l'être se révèle. Il dit « oui » à la vie, il fait confiance et se fait confiance. Si les plus grands prophètes n'avaient pas osé parler, nous n'aurions jamais su qu'il y avait un Dieu d'amour au-dessus de nos têtes. Si les astronautes n'avaient pas osé monter dans une fusée, nous n'aurions pas vu la lune. Si les plus grands inventeurs n'avaient pas agi pour réaliser leurs idées, nous vivrions encore dans des habitations troglodytes.

Nous avons tous la joie de pouvoir apporter du concret au monde, alors allons-y. Petit à petit, jouissons du plaisir, qui n'est que l'onction de nos actions.

Nos actions sont toutes au service les unes des autres

Certes, il y a les actions majeures reconnues pour leur grandeur, celles de Pasteur, Newton, Braille, Boeing, Fabre et de tous les autres qui ont transformé nos quotidiens et nos vies.

Mais il y a aussi cette chaîne invisible, impalpable, qui travaille dans l'envers du décor de l'univers, fruit d'une aventure humaine transgénérationnelle qui se décuple à l'infini.

La ramification d'événements, de successions de passages à l'action, de personnes, de choix, de destins, qui se cachent, par exemple, derrière un simple plat du jour à la carte du bistrot d'en face.

Imaginez une seconde, la chaîne de création qui remonte avant la matérialisation de votre assiette. Il en aura fallu des générations de créations et des hommes pour arriver à cet instant précis où vous allez vous attabler.

DERRIÈRE CE PLAT IL Y A...

Ceux qui ont conçu l'assiette, ceux qui ont conçu les ustensiles et machines pour concevoir l'assiette, les autres qui créent la table, les transporteurs, les livreurs, les concepteurs, la création du camion de livraison, l'assureur du camion, l'assureur de l'assureur, la caissière de la pompe à essence et toute la filière du pétrole en amont, ceux qui ont produit les serviettes avec, en amont, la filière du coton. Et tous les inventeurs du monde réunis dans la cuisine nichée au sous-sol (et leurs complices car les inventeurs n'agissent jamais seuls). On nommera entre autres les inventeurs de l'électricité, du réfrigérateur, du four, du lave-vaisselle, des conduits d'eau, des aqueducs. Et j'en passe tant, car la chaîne est quasi infinie. Elle remonte au big-bang et peut-être même avant.

CETTE CHAÎNE EST À L'IMAGE DE NOUS TOUS. SI NOUS SOMMES LÀ, AUJOURD'HUI, À CETTE TABLE C'EST QUE...

Une longue histoire humaine s'est lancée avant nous, avec ses bonnes et ses mauvaises actions. Nous sommes tous les héritiers du big-bang, et peut-être même du Royaume des cieux, si nous privilégions ensemble les bonnes actions.

UN SOURIRE EST UNE ACTION

Nous ne sommes pas tous destinés à faire de grandes choses (tant mieux, il n'y aurait pas assez de place) mais nous devons chacun remplir nos quotidiens avec des micro-actions résolument positives. Ces micro-actions sont ce qu'il y a de plus grand et de plus beau.

AGIR, C'EST VIVRE

N'attendez pas demain pour vivre si vous sentez que vous pouvez commencer maintenant.

Mais soyez patients dans les actions décisives de vos vies, car retenez bien que dire « non » à certaines actions, c'est aussi prendre position et donc agir dans le sens qui paraît juste pour vous.

ODE À L'ACTION

Action, tu es la vie de nos envies,
la réalisation de nos rêves enfouis.
Sans action, les plus belles idées s'évanouissent
ou s'enfouissent.
L'action est l'unique façon de connaître
« l'autosatisfaction », la joie de soi, car elle fait
devenir réelles les plus belles étincelles de nos
merveilles, les cervelles.
L'action engendre, elle sert, elle aide, elle est
vraie, concrète, tangible. Sans elle, la vie végète
sans naître.
L'action a ce goût d'aventure, qui rassasie, et
donne de l'envergure à nos projets de vie.
Et même quand elles n'atteignent pas l'effet
escompté, nos actions auront tout de même eu
le mérite d'exister. Même au rang des coups
d'essais.

AMOUR

« Tout ce qui n'est pas donné est perdu. »

MÈRE TERESA

« L'amour est le désir d'une union durable. L'amour se veut durable. L'amour qui ne dure pas est un échec de l'amour. »

JACQUES DE BOURBON BUSSET

« Je suis venu pour te voler cent millions de baisers. »

SERGE GAINSBOURG

AIMER, C'EST AVOIR LE CŒUR QUI BAT

L'amour est la mélodie du bonheur, l'émoi de nos âmes. L'amour authentique fait battre nos cœurs à l'unisson et sublime nos corps et nos gestes.

L'amour vrai diffuse ce parfum céleste qui exalte nos yeux et nos sens. L'amour pur, quand il est partagé, est une création authentique, belle, vivante et sensuelle qui se bâtit à deux. C'est une œuvre commune et unique, façonnée à quatre mains, ravivée de deux souffles, animée de deux âmes qui se mêlent et se confondent dans un ying-yang amoureux. Le duo amoureux forme un ensemble contenu en un seul tout, le couple.

L'AMOUR EST SACRÉ PARCE QUE L'HOMME ET LA FEMME SONT SACRÉS

L'amour est une extase des sens, un dévouement de l'être, un mouvement de l'âme réciproque, un élan de deux cœurs, un déploiement conscient vers l'autre, pour l'autre et avec l'autre.

C'est une dévotion d'humain à humain, désirée par le divin pour que l'homme et la femme soient comblés d'une joie indicible, profonde et inaltérable.

L'amour juste amène à se donner totalement sans se perdre, car l'autre nous respecte tant qu'il est impossible de se sentir diminué en s'unissant et se fondant en l'autre.

Cette confiance et ce respect sont réciproques : « Dans l'amour comme dans la maladie, dans la joie comme dans la peine. » Le couple peut se faire la promesse, sous l'œil protecteur du ciel, créateur de la réalité amoureuse, que leurs souffles s'aimeront jusqu'au dernier. Jusqu'au rappel céleste qui, seul, a le droit de séparer leur « nous », leur « ensemble ». Leur « union » est liée aussi au ciel par cette promesse de beau entre adultes aimants et consentants.

Qu'il est beau d'être humain quand on est amoureux

Il n'y a pas de compromis dans un amour authentique, seulement des envies de faire plaisir à l'autre. L'amour vrai est libre et désintéressé.

Mais pour l'atteindre, il faut braver les épreuves et ne pas céder au mariage de *timing*, à « l'association arrangeante » pour procréer, au cadre rassurant du foyer, à la pression familiale, à l'appât financier, à la paresse d'attendre plus longtemps, au cynisme, ou à toutes autres sortes de mauvaises raisons qui fondent l'union sur une désunion amorcée.

LA VIE EN ROSE

Des yeux qui font baisser les miens
Un rire qui se perd sur sa bouche
Voilà le portrait sans retouche
De l'homme auquel j'appartiens

Quand il me prend dans ses bras,
Il me parle tout bas
Je vois la vie en rose,
Il me dit des mots d'amour
Des mots de tous les jours,
Et ça m'fait quelque chose
Il est entré dans mon cœur,
Une part de bonheur
Dont je connais la cause,
C'est lui pour moi,
Moi pour lui dans la vie
Il me l'a dit, l'a juré
Pour la vie
Et dès que je l'aperçois
Alors je sens en moi
Mon cœur qui bat

Des nuits d'amour à plus finir
Un grand bonheur qui prend sa place
Des ennuis, des chagrins s'effacent
Heureux, heureux à en mourir.

Œuvre commune Interprétée par ÉDITH PIAF

Et si l'amour était instinctif ?

En regardant les animaux « amoureux », on pourrait se demander si l'amour n'est pas instinctif chez l'être humain. Et si nos fautes et la conscience qu'on en a avaient abîmé et rendu inaccessible la beauté de l'amour originel, pourtant parfaitement ancré en nous ?

Et si, sous la mauvaise influence qui talonne nos péchés, nous avions commencé à réellement ruser, duper et trahir ce qui était le plus naturel et inné en nous : l'amour.

Et si, en reprenant conscience du vrai sens du mot « union », nous pouvions faire « machine arrière » et nous reconnecter à la source première, à l'essence de l'amour vrai et ainsi s'autoriser à le vivre ? Le vivre « pour de vrai » dans un mélange de chair et de lumière.

« Le cœur a ses raisons que la raison ne connaît point » (Blaise Pascal)

Nous sommes les authentiques créatures de l'amour du divin. Nous sommes tous fils et filles du même et unique Dieu d'amour, qui se désole de voir combien le diable et ses mauvais disciples tentent de salir notre monde. Et surtout, combien nous sommes influençables et faibles quand la pomme du péché vient rouler à nos pieds.

Mais l'amour, le vrai, est plus fort que tout car il fait partie de nous. Alors aimons-nous au-delà de la raison, donnons-nous dans l'union et espérons qu'ainsi nous inverserons la tendance du monde, qui connaît trop de désunions au milieu des unions.

Frères,
Parmi les dons de Dieu,
Vous chercherez à obtenir ce qu'il y a de
meilleur.
Eh bien, je vais vous indiquer une voie
supérieure à toutes les autres.
J'aurais beau parler toutes les langues de la terre
et du ciel,
Si je n'ai pas la charité, s'il me manque l'amour,
je ne suis qu'un cuivre qui résonne,
une cymbale retentissante.
J'aurais beau être prophète,
avoir toute la science des mystères,
et toute la connaissance de Dieu,
et toute la foi jusqu'à transporter les montagnes,
s'il me manque l'amour, je ne suis rien.
J'aurais beau distribuer toute ma fortune aux
affamés,
j'aurais beau me faire brûler vif,
s'il me manque l'amour,
cela ne me sert à rien.

L'amour est patient,
l'amour est serviable,
l'amour n'est pas envieux,
il ne se vante pas,
il ne se gonfle pas d'orgueil,
il ne fait rien de malhonnête,
il n'est pas intéressé,
il ne s'emporte pas,
il n'entretient pas de rancune,
il ne se réjouit pas
de voir l'autre dans son tort,
mais il se réjouit
avec celui qui a raison ;
il supporte tout,
il fait confiance en tout,
il espère tout, il endure tout.
L'amour ne passera jamais.

SAINT PAUL, APÔTRE,
1re lettre aux Corinthiens 12, 31 – 13, 8A.

« L'homme ne devient homme que parmi les hommes. »

JOHANN FICHTE

« L'homme est fait pour devenir. »

JULIAN HUXLEY

« Chaque homme doit inventer son chemin. »

JEAN-PAUL SARTRE

« Quand il fait son devoir, l'homme est un dieu pour l'homme. »

CECILIUS, POÈTE ROMAIN

« Il faut agir en homme de pensée et penser en homme d'action. »

HENRI BERGSON

« Rien n'est viril que la vraie douceur. Rien n'est doux que la vraie force. »

CHRISTIAN BOBIN

COMME IL EST BEAU D'ÊTRE UNE FEMME PARCE QUE LES HOMMES EXISTENT

Même si les temps sont troubles. Même s'il n'est pas évident pour les hommes, comme pour les femmes, de trouver leur place dans ce monde qui bouge et qui se meut. Même si le masculin se féminise et que le féminin agit au masculin. Qu'il est beau d'être une femme parce que les hommes existent. Les hommes sont l'avenir de la femme comme les femmes sont l'advenir de l'homme. Et si nous commencions par nous réapprivoiser en partant sur des bases nouvelles ?

Réinventons un socle fait de respect et de considérations mutuels. Et si nos deux chairs étaient fondamentalement complémentaires et, ainsi mêlées, l'authentique voie vers notre bonheur ?

Le couple n'est pas une invention, c'est une réalité qui se matérialise par l'acte d'amour et la reproduction de l'amour dans l'amour.

La sexualité a été créée et désirée par son Créateur pour que l'homme aime avec plaisir. Parce que l'amour procure du plaisir, c'est aussi pour cela qu'on l'aime !

La loi à respecter n'est pas de recréer les lois naturelles, mais de respecter les hommes et les femmes qui aiment autrement. Nous n'avons pas à juger ni à militer. Nous avons simplement à constater qu'il y a une voie qui a été créée pour que le monde tourne rondement bien et que les lois humaines sont bien peu de chose face aux lois de l'univers.

Et la femme fut créée pour plaire à l'homme

Nous sommes nées pour vous. Nous avons pris forme pour former votre bonheur.

En naissant nous avons, chacune à notre manière, cette envie innée d'être belles pour vous, d'être regardées, considérées et aimées.

Si nous dépensons trop d'argent à arpenter les boutiques, trop de temps à nous peindre les ongles, si nous faisons trop de gaspillage en maquillage, si nous nous perchons sur des talons, amis les hommes, sachez-le, ce n'est pas seulement pour nous plaire mais avant tout pour vous plaire.

Si nous aimons les petites robes qui nous font prendre froid, c'est parce que vous les appréciez.

Soyons honnêtes, si vous n'étiez pas là, parmi nous sur la terre, nous serions toutes comme des petits zombis aux cheveux hirsutes et aux mines pas maquillées.

Alors de grâce, hommes de nos cœurs, dites-nous que nous sommes belles parce que nous y mettons du cœur. Dites-nous que nous sommes charmantes (et pas seulement pour nous attirer dans vos filets) parce que nous sommes attristées de voir que nos charmes ne rebondissent plus. Respectez-nous, vraiment, aimez-nous simplement, riez avec nous franchement et nous vous le rendrons si bien.

L'HOMME PARFAIT EXISTE, IL EST EN VOUS

Alors osez être forts en restant doux. Osez être protecteurs sans être dominateurs. Osez être bons sans vous considérer comme faibles. *Osez l'amour avec nous*. Et restez toujours aussi drôles, inventifs, tendres, spirituels, pragmatiques, ludiques, attendrissants, attirants. Soyez « vous m'aime ».

Tu seras un homme mon fils

Si tu peux avoir détruit l'ouvrage de ta vie
Et sans dire un seul mot te mettre à rebâtir,
Ou perdre en un seul coup le gain de cent
parties
Sans un geste et sans un soupir.

Si tu peux être amant sans être fou d'amour,
Si tu peux être fort sans cesser d'être tendre,
Et, te sentant haï, sans haïr à ton tour,
Pourtant lutter et te défendre.

Si tu peux supporter d'entendre tes paroles
Travesties par des gueux pour exciter des sots,
Et d'entendre mentir sur toi leurs bouches folles
Sans mentir toi-même d'un mot.

Si tu peux rester digne en étant populaire,
Si tu peux rester peuple en conseillant les rois,
Et si tu peux aimer tous tes amis en frère,
Sans qu'aucun d'eux soit tout pour toi.

Si tu sais méditer, observer et connaître
Sans jamais devenir sceptique ou destructeur,
Rêver sans laisser ton rêve être ton maître,
Penser sans n'être qu'un penseur.

Si tu peux être dur sans jamais être en rage,
Si tu peux être brave et jamais imprudent,
Si tu sais être bon, si tu sais être sage,
Sans être moral ni pédant.

Si tu peux rencontrer Triomphe après Défaite,
Et recevoir ces deux menteurs d'un même front,
Si tu peux conserver ton courage et ta tête
Quand tous les autres les perdront.

Alors les Rois, les Dieux, la Chance et la Victoire
Seront à tout jamais tes esclaves soumis,
Et, ce qui vaut mieux que les Rois et la Gloire
Tu seras un homme, mon fils.

RUDYARD KIPLING

FEMME

« Pour les femmes, la douceur
est le meilleur moyen d'avoir
raison. »

MADAME DE MAINTENON

« Ma femme est un homme
politique. »

JACQUES CHIRAC

« N'oublie pas d'être heureuse. »

CHRISTINE ORBAN

LES FEMMES, SENTINELLES DE L'AMOUR

Elles éduquent, rassurent et encouragent pour que le meilleur naisse sans cesse autour d'elles. Elles sont les mères de l'humanité, la créature qui conçoit la chair et l'abreuve de lait. Les femmes sont les nourricières de la nature humaine. Les gardiennes discrètes mais responsables du « bien-être » de notre monde.

Que les femmes retrouvent leur essence, mélange d'une belle autorité diluée dans beaucoup d'amour, de compassion et de tolérance.

Que la patience, la bienveillance et l'intégrité émanent de leurs visages et de leurs gestes, pour que l'harmonie se fasse enfin reine ici-bas.

LES OPPOSÉS SE MÊLENT ET S'UNISSENT POUR BÂTIR À L'UNISSON

Et si le féminin harmonisait le masculin ? Et si le masculin soutenait de ses épaules d'homme le féminin ?

L'homme et la femme sont faits pour le cœur à cœur, pour l'union de leurs mains et de leurs reins. Pour l'indicible beauté de faire naître ensemble les enfants de la terre.

Une femme qui se respecte inspire naturellement le respect

Comme il est important que les femmes retrouvent leur dignité pour rétablir l'équilibre perdu. Qu'elles redeviennent fermes. La loi de l'amour vrai est nécessairement liée à une part d'engagement mutuel pour qu'il soit sain et serein.

Comment peut-on construire avec un homme qui fuit l'engagement? Comment peut-on bâtir avec une femme faussement libre? Comment un homme peut-il faire confiance à une femme qui se donne sans résistance? Le manque de confiance transforme les femmes en hommes et l'amour se fait entre adultes consentants.

Pourquoi pas. Nous sommes tous libres de nous enchaîner à notre insu. Mais la création nous a voulu unis pour être en harmonie. Et qui va à l'encontre de la création marche dans le sens inverse de son « tempo ».

Les lois universelles de la vie ont fait naître l'amour dans un cadre beau et sublime. Le couple. Refuser le couple, c'est se refuser la possibilité d'aimer sincèrement et d'être aimé vraiment.

Tu seras une femme ma fille

Si tu sais être sage sans cesser
de sourire et de rire
Si tu peux éduquer sans jamais étouffer,

Si tu sais te dévouer sans cesser d'exister
Tout en étant la muse dont personne n'abuse,

Si tu peux être femme au cœur battant et liant
Façonnant le bonheur même les jours de
malheur
Si tes mains savent êtres douces quand tu
donnes des coups de pouces,

Si tu peux pardonner sans perdre ta dignité
Et toujours recevoir sans jamais décevoir
Assumer tous tes choix dans le respect de ta foi,

Si tu sais être aimante tout en restant amante
Ta famille dans le cœur et tes enfants aux bras
Si tu sais conseiller sans jamais perdre pied
Si tu arrives à dire sans pour autant médire,

Si tes mots peuvent parler sans jamais contredire
Éveiller le respect sans user d'autorité
Et traverser la vie sans cesser de t'embellir
Si tu peux être drôle tout en gardant ton rôle,

Et faire d'un homme ton roi, sans cesser d'être
reine
Si tu sais respecter sans jamais militer ou juger
Si tu peux relever l'autre sans te laisser tomber,

Alors, le parfum de ta féminité embellira
l'humanité
Tu sèmeras derrière toi comme un sillon de joie
Et tes pas ici-bas auront laissé une empreinte
éternelle.

Aude de Béarn

DOUCEUR

« La beauté plaît aux yeux, la douceur
charme l'âme. »

VOLTAIRE

« La terre est un gâteau plein de
douceur. »

CHARLES BAUDELAIRE

« La rigidité et la dureté sont les
compagnons de la mort.
La douceur et la délicatesse sont les
compagnons de la vie. »

LAO TSEU

LA DOUCEUR EMPORTE LES DOULEURS

Elle est la reine de cœur qui attendrit le valet de pique. Nous avons tous besoin de donner et de recevoir de la douceur. En plus, c'est la plus belle monnaie d'échange qui existe. Si déjà nous essayons d'être doux dans nos « bonjour », et un peu moins raides dans nos « allô », nous apporterions de la réalité à la douceur. Faisons-lui de la place dans le giron des rapports humains.

POUR RECEVOIR DE LA DOUCEUR, DONNES-EN !

Et si, dans la vie, il suffisait de provoquer (en douceur !) ce que l'on souhaiterait recevoir ? Ne dit-on pas que l'on récolte ce que l'on sème ? Alors pourquoi ne pas commencer à nous façonner une vie plus aimante dès maintenant ?

SOYONS DOUX AVEC NOUS-MÊME ET NOUS SERONS DOUX AVEC LES AUTRES

Arrêtons de nous stresser pour des petites choses qui n'ont franchement aucune raison de nous mettre dans de tels états.

Si votre « boss » veut ce dossier pour la veille, eh bien, il apprendra que vous n'avez que deux mains et un seul cerveau. Travailler correctement oui, mais toujours dans l'urgence, non. Il en va de même pour tout le reste.

APPORTER DE LA DOUCEUR DANS VOS VIES

À bien y réfléchir, votre emploi du temps n'est-il pas digne de celui d'un tyran ? Car si vos pauses « bien à vous » se transforment en souffrance pour être toujours « au top », ça va être compliqué de vous connecter avec votre douceur.

Dans l'ère où, pour maigrir, on prend des coups de sachet en poudre dans l'estomac, où, pour éliminer ses poils, des coups de laser dans les cellules, pour se remodeler ses cuisses, des coups de palper plus que de roulé, pas évident de se réconcilier avec sa douceur. Et puis, la plus belle façon d'être « top », c'est d'être « au top » avec soi-même. La douceur rend beau. Alors faites-vous plaisir !

Et si, pour mincir, vous commenciez par manger de bons légumes avec des œufs de la ferme ? Et si, pour le reste, vous trouviez des formules « responsables » qui vous ménagent et respectent votre corps un minimum ?

« La confiance ne se réclame
pas, elle se gagne. »

MARC GOLDSTEIN

« Toute figure exemplaire est
nourricière de confiance. »

ALAIN PEYREFITTE

CONFIANCE

Il faut du courage pour faire confiance

Donner sa confiance fait tomber le masque des apparences. On accordant sa confiance, on dévoile au passage sa part d'amour. On s'offre sans garantie, on saute sans filet. On se lance dans un élan bienfaisant qui ouvre la possibilité à l'union comme à la trahison.

Accorder sa confiance fait prendre un risque. Mais osons penser que l'amour vaincra la mort pour de bon. Osons croire que la confiance se tente car qui ne tente rien de bien n'obtient rien de beau.

La confiance n'est pas à distribuer mais à semer

Pour que nos actes de confiance connaissent plus de printemps que d'hivers, ils doivent prendre racine auprès de poignées de main fertiles.

La confiance doit être décernée dans le plus grand discernement et se donner à ceux qui la respectent. Parfois, il faut dépasser les apparences et redonner une ultime chance. La confiance est un *Inch'Allah* qui pourrait bien finir en un *Alleluia*.

La confiance n'existe que si elle est réciproque

La confiance est possible seulement si elle ose le partage. Elle est le flux des rivages de nos âmes. Elle circule et nous entraîne dans une énergie de foi et de don de soi.

Notre monde a perdu confiance

La confiance s'est abîmée car nos mots ont perdu leur vérité. Nous devons revenir à la confiance sans défense, celle qui dit : « tu as ma parole et je n'ai qu'une parole ». Que nos mots reprennent leur sens, leur puissance et leur bienveillance. Que les sociétés anciennes où les marchés se concluaient d'une parole et d'une poignée de main nous insufflent le retour à la parole vraie. Que nos mots s'accompagnent d'un engagement sincère et authentique. Que nos mots les plus beaux deviennent actes pour désarmer les querelles malsaines qui enlisent notre époque.

Pour avoir confiance, il faut s'émanciper de nos peurs

Les peurs sont les freins de nos aspirations à l'union. La peur dresse des schémas dramatiques, anticipe le pire pour soi-disant nous prémunir. Mais nous prémunir de quoi ? Bien souvent, ce sont nos peurs qui génèrent nos misères, car à force de leur laisser le contrôle de notre mental, elles nous font faire les mauvais choix. C'est le problème quand on se laisse guider inconsciemment par une mauvaise influence comme la peur. Rabrouez-la et dites-vous : « j'ai confiance ». Si cette situation est là devant moi, c'est que j'ai toutes les cartes en moi pour la résoudre.

Rien n'est hasard, tout est providence

Cette idée a le pouvoir d'abattre nos peurs. Cette notion ouvre la voie où l'on décide de vivre ce qui vient à nous, sans chercher de « pourquoi ».

Se remettre en question, sans remettre en cause les événements de nos existences, voilà la vraie sagesse. C'est la preuve ultime de notre confiance en la vie. C'est notre allégeance parfaite aux lois de l'univers.

Et rappelons-nous que personne n'a jamais dit que la vie était facile. Et pourtant, elle est si belle quand on la laisse nous forger et nous transformer. Et puis le ciel n'a-t-il pas ses raisons que nos sagesses ignorent ?

La confiance est un acte de foi qui surpasse toutes les lois

C'est un grand « oui » à la vie qui dépasse les frontières de notre compréhension humaine. C'est une aspiration qui fait bailler notre tiédeur de cœur et qui redonne de l'ardeur pour croire que le plus beau reste à venir.

La confiance anéantit la défiance

Ayons l'audace de croire que nos douleurs peuvent se transformer en douceur, nos froideurs en chaleur de cœur et nos tiédeurs en ardeurs. Nous pensons souvent être seuls et pourtant nous sommes tous semblables à partir du moment où nous naissons, souffrons et rions ici-bas.

LA MAIN QUE NOUS TENDONS AUX AUTRES N'EST AUTRE QUE CELLE QUE L'ON SE TEND À SOI-MÊME

La confiance que l'on accorde à autrui est en réalité celle que l'on s'offre à soi-même.

ODE À LA CONFIANCE

La confiance est le fleuron de notre instinct de
fidélité. Elle est cette fleur de vie qui dépasse de
loin les lys de la vallée des ombres.
La confiance balaye d'un geste salvateur la
poussière de nos âmes.
Elle est le joyau de nos consciences et dessine
une passerelle entre celui qui la donne et celui
qui la reçoit.
Elle est ce fil d'espérance qui résiste en dépit des
assauts destructeurs de ce monde.
La confiance est le lien du bien qui dit « je crois
en toi », « j'ai foi en toi », je te tends la main car
j'ai envie d'envisager que tu ne me trahiras pas.
Je veux penser que tu résisteras dans l'adversité.
La confiance est une preuve d'espoir mutuel,
une mise à nu des peurs qui redonnent de la
transparence à nos opacités.
En donnant du crédit à autrui, sans garantie, sans
conditions, sans préavis, nous réinsufflons la
voie de la pureté dans l'humanité.
En inclinant nos dernières réticences pour les
offrir en espérances, nous redorons le blason de
la Création.

CONSCIENCE

« La conscience, c'est Dieu présent dans l'homme. »

Victor Hugo

DE L'IMPORTANCE D'ÊTRE UN ÊTRE DE CONSCIENCE

Imaginons que notre éveil à la lucidité nous donne un outil formidable pour enfin apprendre à vivre heureux : notre CONSCIENCE.

NOUS SOMMES LES UNIQUES CRÉATURES DOTÉES DE LA CAPACITÉ DE CONSCIENCE

Cette conscience nous donne, à l'instar du reste de la Création, de pouvoir ressentir les expériences que l'on vit. Nous avons le pouvoir de conscientiser les événements et les expériences que l'on traverse tout au long de notre existence. Ce pouvoir permet une « prise de recul » possible, une « capacité d'analyse », une « réflexion accessible » liée à notre condition d'être humain.

NOS CONSCIENCES NOUS DONNENT L'OPPORTUNITÉ DE POUVOIR ÉVOLUER POSITIVEMENT TOUT AU LONG DE NOS VIES

À la différence des animaux, nous pouvons nous améliorer et transformer nos comportements, ressentis et actions, car nous disposons de l'outil parfait : notre conscience.

CET OUTIL DE CONSCIENCE EST COMPARABLE À UN « MUSCLE DE BONNE VOLONTÉ » DANS NOTRE CERVEAU

Le point délicat c'est que ce « muscle de conscience » peut être affûté dans le bon comme dans le mauvais sens.

Le « mauvais sens » transforme la conscience en « muscle de sabotage et de destruction » :

• Si, par exemple, nous décidons consciemment de faire du mal et de saboter le rythme de l'univers par des actions et des comportements négatifs.

• Si nos pensées cherchent à « duper les autres », ou à « les dominer » en vue de profiter d'eux selon un but qui nourrit des fins personnelles malsaines.

Alors notre « conscience » devient « coupable » car, consciemment, elle cherche à détruire.

Notre intelligence peut servir le bien comme le mal. Il est donc essentiel de « prendre conscience » de cette réalité. Car cela nous rend naturellement plus « responsables » dans nos vies.

MIEUX VAUT ÊTRE UN SOT VERTUEUX QU'UN ÊTRE DOTÉ D'UNE INTELLIGENCE MALFAISANTE

Les personnes les plus intelligentes peuvent devenir les plus destructrices comme les plus salvatrices… Il faut choisir son camp. C'est l'option donnée par notre « libre arbitre » qui découle de nos consciences.

L'intelligence n'est donc pas à admirer en soi. Ce qu'il faut admirer, c'est la vertu qui la guide. Mieux vaut un sot vertueux qu'un être doté d'une intelligence malfaisante.

Les animaux, eux, n'ont pas de problème pour respecter l'ordre lié à leur condition. Ils suivent « instinctivement » la loi de la nature qui est gravée en eux. Ils n'ont pas de conscience et agissent seulement par instinct. Du coup, tout se déroule correctement pour eux. Pas de problème de conscience, pas de responsabilité à endosser. Mais aussi, pas de possibilité de créer sa réalité, d'être maître de son destin et de connaître un jour le bonheur.

NOTRE CONSCIENCE EXIGE NATURELLEMENT LE BESOIN D'UNE PRISE DE RESPONSABILITÉ

À la différence des animaux, nous sommes « responsables de nos actes », de nos paroles et de nos pensées. À la différence d'un singe, nous pouvons commettre des actes « prémédités » car nous avons cette conscience au creux de nous. Aucun lion, pourtant roi des animaux, ne préméditera l'heure à laquelle il va aller chercher son steak dans la savane. (En l'occurrence il enverra la lionne le faire pour lui, mais c'est un autre débat.)

Notre conscience est le luxe de notre âme

Notre conscience peut se comparer, une fois travaillée sainement, à un grand filtre qui aide à trier instantanément toutes les informations que l'on reçoit et même celles que l'on génère et divulgue autour de nous.

Notre conscience devient une sorte d'écran de protection et de discernement au milieu du flot d'informations à gérer au quotidien.

Elle nous permet de « passer au chinois » chaque situation de vie, en vue d'y apporter une réponse saine et juste pour notre entourage comme pour nous-même.

Notre don de conscience agit comme une passoire fine qui laisse passer ce qui est juste, tout en régulant les flux d'actions et d'informations émanant de nous et des autres, qui sonnent moins justes.

Ainsi nos actes s'ancrent, grâce à notre conscience, dans une prise en considération des autres et de leur bien-être, tout en préservant notre propre bien-être et la prise en compte de nos besoins essentiels.

Grosso modo, notre conscience, dès lors qu'elle est « éveillée », permet au moment même où une action se déroule d'adopter la juste attitude.

Elle aide à avoir spontanément un raisonnement plus sain et plus respectueux de l'autre et de soi.

104

Comment bâtir sa vie en conscience ?

Comme les enfants passent au tamis le sable de la plage pour bâtir leurs châteaux de sable, vous passerez au tamis de votre conscience « le sable de vos quotidiens ».

Le but ? Tenter de garder le « meilleur sable » pour construire l'édifice de votre vie qui n'est autre que le trio de vos âmes, corps et esprit en une seule personne consciente, vous.

« Le meilleur sable » est le sable comme « assaini » par votre « compréhension juste » du monde et de ses mécanismes.

Ce « sable de votre quotidien » sera « ajusté » pour vous et pour ceux qui croiseront votre chemin, car il ne sera ni le fruit d'une éducation clef en main ni celui d'une domination insidieuse, mais seulement le résultat de la fleur de votre vie : votre conscience.

Ce « sable du quotidien » n'est autre que la matérialisation imagée « des flux de la vie », c'est-à-dire des actions, informations et événements qui émanent de nous, des autres et de l'univers.

Bâtir sa Jérusalem céleste (l'Arche d'alliance)

Ainsi, en vivant « en conscience », vous pourrez construire votre « Jérusalem », comparable à un château fortifié, majestueux et surtout bien pensé pour vous ! Vous pourrez en être joliment fier(e) car il sera construit par vous et pour vous et qu'il apportera au monde une touche de beauté supplémentaire dans le paysage de l'humanité.

À l'inverse, si vous ne mettez que du sable granuleux, plein de puces et de vermines car vous voulez construire votre vie comme une succession de plaisirs instantanés, sans chercher à évoluer ni à mettre du sens ou de la justesse dans vos actes, alors votre château de sable sera miteux et granuleux. Mais c'est votre droit absolu et personne n'aura à vous juger ici-bas. Vous êtes né libre et vous le resterez jusqu'au dernier souffle.

VIE

« Vous ne devez pas attendre de la vie d'avoir un sens, vous devez lui en donner un. »
ROMAIN GARY

« La vie est la vie, défends-la. »
MÈRE TERESA

« La vie ressemble à un conte. Ce qui importe, n'est pas sa longueur, mais sa valeur. »
SÉNÈQUE

« La vie c'est comme une boîte de chocolats, on ne sait jamais sur quoi on va tomber. »
FORREST GUMP

« La vérité de la vie éclate dans l'âme comme un soleil, ou bien ce n'est ni la vérité, ni la vie. »
CHRISTIAN BOBIN

« Regarde mon ange, c'est la mort qui passe… Elle est passée sans me voir. »
PIERRE CLÉMENTI

POUR ENTRER DANS LA VIE IL FAUT QUITTER L'IMPASSE DE LA MORT

Et pour quitter la vallée de la mort, il faut devenir amour. Aimez-vous pour aimer l'autre et la vie fera de vous son temple chéri, sa vitrine vivante, son relais riant et vivifiant pour ceux qui vous croiseront.

ODE À LA VIE

Don précieux de nos cœurs, joyau de notre chair, flamme de nos corps et pourtant, que de déconvenues parfois, que de manque de toi au point de tomber dans des jours trop ténébreux pour être heureux.
Tu grouilles partout mais il est si glorieux et audacieux de te saisir durablement.
Tu files sous le nez des uns, te dérobes sous le pied des autres et pourtant tu n'attends que nous.

Fais-nous flancher à tes pieds, enfants terribles tout plein de poussière que nous sommes et souffle sur nos impuretés pour nous rendre gais, légers et vivants.

Souffle céleste qui parcourt la terre, parfum de nos âmes, plénitude de la vacuité, insaisissable vie, il paraît que tu te caches à l'intérieur de nous. Alors jaillis comme un soleil dans le cœur des plus abattus. Viens percer nos ombres pour y creuser ta lumière afin que nous dansions de joie comme des enfants solaires.

Chante avec nous, vie, ressaisis-nous quand nous sommes aplatis et rassure-nous quand l'espoir manque. Irradie à chaque seconde dans nos existences pour que nous marchions confiants sur les chemins de nos destins.

Entraîne-nous dans tes flots enivrants et libère-nous de nos chaînes. Badigeonne-nous de rires et relève-nous des mauvais pas.

Tu es la vie, la vérité et qui te suis aura la joie éternelle.

PRÉSENT

« Hier n'est plus là. Demain n'est pas encore arrivé. Il ne nous reste qu'aujourd'hui. Commençons. »

SŒUR EMMANUELLE

« Le moment présent a un avantage sur tous les autres, il nous appartient. »

CHARLES CALEB COLTON

« Féconder le passé en engendrant l'avenir, tel est le sens du présent. »

NIETZSCHE

« Le moment le plus important c'est le présent car si on ne s'occupe pas de son présent, on manque son futur. »

BERNARD WERBER

Le présent est le seul moment où la vie peut être réellement expérimentée

À force de projections, on en oublie l'essentiel, l'action. Il existe autant de façons de bien vivre sa vie que de visages sur la terre.

Une loi universelle persiste : vivre l'instant présent.

Cette loi s'applique à tous, qui que nous soyons, quoique nous fassions, où que nous habitions. Elle est particulièrement difficile à saisir dans des vies où l'on s'agite et où l'on comble nos peurs avec du remplissage d'emploi du temps (qui nous fait bien souvent perdre du temps).

Vivre au présent, oui, mais comment ?

• Un sage répondrait : ne laisse pas tes pensées et tes sens aller plus loin que la situation.

• Un vous et moi dirait : ne t'éparpille pas dans tous les sens. Sois pleinement là, conscient de ce que tu fais, ici et maintenant. Mets toute ton attention et ton énergie dans ce que tu es en train de faire, de vivre, d'écouter, de lire, de dire, de goûter, de créer, et même de rêver.

En clair, il s'agit d'être pleinement disponible et présent à ce qui se déroule sous nos yeux.

Vivre au présent, c'est être là et pas ailleurs

Et si chaque seconde de notre existence était à bâtir comme si elle était une nouvelle petite pierre à l'édifice de notre vie ?

Cette notion de présence à la vie, par la maîtrise de l'instant présent, est étroitement liée à notre façon d'être présent à nous-même. En clair, impossible d'être pleinement dans une action, quand nos pensées vaquent ailleurs.

La qualité de nos vies dépend de la « présence » que nous décidons d'y mettre

Quand nous cuisinons, cuisinons. Quand nous écoutons, écoutons. Quand nous travaillons, concentrons-nous vraiment. Quand nous éduquons, tenons bon. Quand nous faisons l'amour, soyons là, pleinement à l'autre.

En s'échappant de nous-même, il est impossible d'être pleinement acteur de notre vie.

Notre manque de présence et de concentration est comparable à monter un cheval que nous ne maîtrisons pas. On se laisse balader sans maîtriser sa trajectoire.

Être présent à nous-même nous rend maître de notre monture et acteur de nos destinées.

Être présent à soi pour être présent au monde qui nous entoure

Seuls les êtres présents et ancrés en eux-mêmes, donc conscients, peuvent être présents aux autres et à la vie.

Et pour être « présent à soi », il faut apprendre à se laisser de l'espace, du temps en vue de se comprendre tel que l'on est vraiment.

Partir à la quête de soi

C'est un peu comme trouver son propre « mode d'emploi ». Mais pour cela, encore faut-il le feuilleter. Il est important de se « plonger dans sa propre notice » afin de comprendre le potentiel de « l'être » que nous sommes.

Ne devenons pas de ces êtres parfaitement doués qui se réduisent et se limitent uniquement à leur bouton *on-off*. Nous sommes dotés d'une foule d'« options » performantes et puissantes. Ces « options » n'attendent que nous, leurs heureux propriétaires, pour se déployer. Alors saisissons-les.

En réalisant et acceptant nos faiblesses, en nous les pardonnant, on peut ensuite mettre en lumière nos atouts.

Une fois réunifié et harmonisé en nous-même par ce beau travail, l'on accède à une vie plus douce et légère. Une vie où l'on s'amuse des jours trébuchés et l'on savoure les jours d'avancées.

Accordons-nous une vie sur mesure

Une vie où nous sommes en pleine capacité de nos moyens pour vivre positivement à chaque instant qu'elle nous réserve.

En partant à notre rencontre, on ne passe plus à côté de nos essentiels et on peut ainsi vivre au présent dans le concret de notre réalité. Nous ne fuyons plus notre quotidien car, à présent, nous en cernons les rouages. Notre existence devient naturellement plus vivante et vraie.

Laissons nos chutes nous façonner

Marchons sur les sentiers de nos existences en acceptant les chutes, sans nous décourager.

En acceptant de ne pas être parfait, on s'offre la chance de se relever après un échec. On se donne, au passage, la possibilité de faire mieux la prochaine fois.

À l'image d'un enfant qui trébuche mille fois avant de réussir à vraiment marcher, acceptons les bleus de la vie, en continuant de nous relever sans nous décourager.

Un enfant qui veut marcher ne doute pas de lui-même. Il ne remet pas en question la réussite de sa quête. Il place sa concentration dans l'action présente. Sans illusion. Sans *a priori*. Observons-les et nous verrons combien les enfants savent vivre au présent.

Ne sommes-nous pas de grands enfants qui sillonnent un chemin qu'on appelle la vie ?

INCARNER PLEINEMENT SA VIE POUR DÉPLOYER SES DONS

Incarner pleinement sa vie est étrangement comparable au fait d'emménager dans un nouveau lieu. Avant d'« habiter » pleinement un nouvel espace, il faut apprendre à le « maîtriser ». Il en va un peu de même pour nous-même.

Au même titre que cela prend du temps de s'approprier un nouvel appartement, d'y créer ses marques, de trouver la bonne place de chaque objet, de comprendre comment fonctionnent les appareils ménagers, cela prend du temps à un être humain de maîtriser l'être qu'il est.

Se sentir bien dans un lieu méconnu exige du temps et de la jugeote. Et s'il en allait de même pour nous-même ? Et si trouver nos potentiels et notre caractère authentique nécessitait notre plus belle patience ?

REGARDONS COMMENT NOUS VIVONS ET NOUS COMPRENDRONS COMMENT NOUS NOUS SENTONS

Déceler nos facilités et apprendre à « dompter » nos difficultés peut prendre une vie parfois. Alors soyons doux avec nous. Car chaque pas, même petit, est grandiose !

Apprivoiser et unifier nos corps, âme et esprit, en vue d'avancer dans nos vies avec simplicité et spontanéité, requiert une belle introspection, honnête et juste.

Et le temps que l'on va prendre pour trouver son harmonie n'a pas d'importance, le tout est de commencer.

Essayons d'être bien dans notre peau. Comment?

En faisant un peu de ménage et de rangement intérieur.

L'UNIQUE FAÇON D'ARRIVER À ÊTRE BIEN DANS SA PEAU C'EST D'ESSAYER DE S'Y SENTIR BIEN

En écoutant ses envies profondes, qui sont uniques et « sur mesure » pour chacun de nous, nous pourrons dire : « je suis en paix avec moi-même ».

FAIRE EXISTER DES MOMENTS DE RECENTRAGES POUR EXISTER TOUT SIMPLEMENT

Un bon moyen pour se centrer? Apprendre à être seul(e) avec nous-même. Pas besoin de partir au bout du monde. Il s'agit simplement d'être pleinement à soi, au fil de nos journées. Ces moments de « centrages de vous à vous » peuvent exister en conduisant, en se maquillant ou en se rasant, en bricolant ou en travaillant.

Ces instants de concentration, de face-à-face, nous connectent à notre essence, notre ressenti profond, nos sens. Même si, de prime abord, il ne se passe rien. Surtout s'il ne se passe rien.

Ces moments « d'union de nous à nous » sont nos opportunités de saisir « nos essentiels » qui varient tant d'un être à un autre.

NOTRE PRÉSENT DÉPEND DU REGARD QUE NOUS PORTONS SUR LA VIE

Donnons de l'onctuosité aux petites choses de la vie. Cela permet de l'apprécier et de la trouver belle.

Ce supplément d'âme, cette chantilly à notre état d'esprit permettra de tenir le cap dans les parenthèses grises de l'existence. Car, même dans les jours mauvais, il y a du beau si on veut le voir…

Trop souvent, nous sommes dans l'incapacité d'apprécier les mini-pépites de nos journées : un rayon de soleil qui effleure la joue, une lueur d'espoir dans la nuit de certains jours, une bonne odeur de croissant chaud, une musique à la radio qui donne envie de danser, un sourire du buraliste, un compliment au travail. Autant de bonheurs à saisir et à communiquer, là, tout de suite, maintenant, dans l'instant présent et pas demain.

CARPE DIEM

Les plus grands détracteurs de l'état d'être au présent sont notre peur et les agitations qui en découlent.

Quand on mange une glace, si on pense avant tout aux calories de cette glace (et au temps que l'on va devoir pédaler sur un vélo de salle de sport pour l'éliminer) on ne l'appréciera jamais. Pire, on va s'ensevelir dans un conflit intérieur qui va nous extirper du plaisir de l'instant et nous projeter dans un schéma de culpabilité.

Notre mental est le grand gagnant de nos tourments stériles. Les angoisses humaines, aussi petites et futiles en apparence soient-elles, nous dérobent à l'instant présent et nous projettent dans toutes sortes d'anticipations aussi vaines qu'inutiles. Ne dit-on pas qu'« à chaque jour suffit sa peine » ? Et si nous transformions cette phrase ainsi : « À chaque jour, sa joie » ? Notre manque de confiance, nos anticipations humaines nous font trop souvent passer à côté de l'essentiel : l'ici-et-maintenant.

LA VIE N'EST QU'UNE SUCCESSION D'INSTANTS, ALORS CUEILLONS CHAQUE SECONDE

Demain est un autre jour, il sera soumis à un tas d'éléments nouveaux qu'il ne sert à rien de trop anticiper, car nos projections et prospectives seront autant de freins à notre capacité d'adaptation au moment présent de demain.

Bien sûr, nous avons tous en tête une fable de Jean de La Fontaine. Père poétique de la France, instructeur-inventeur, il nous fait grandir dans des fables aux tournures justes et fantastiques. Que cette bible de bon sens inspire nos tendances à vivre comme des cigales qui se retrouvent sans rien au moment où sévit la bise.

Mais ne soyons pas 100 % fourmi pour autant qui, à force de trop prévoir, a oublié de chanter et de danser avec le flot de la vie au point de finir aigrie.

Foi d'animal humain, soyons l'une et l'autre. Un peu cigale, un peu fourmi et beaucoup nous-même. Celui qui prévoit un peu demain, qui anticipe légèrement en cas de coup dur et qui vit beaucoup son instant présent sera HEUREUX.

ET SI L'ENJEU ÉTAIT DE VIVRE SELON CE QUE LA VIE APPORTE EN Y METTANT SIMPLEMENT DU CŒUR ?

Mettons du cœur à l'ouvrage du présent. Rions au présent. Pleurons au présent. Tâchons de dire dans l'instant, de jouir maintenant tout en respectant demain et notre voisin. Finalement, vivons en état de conscience et non d'inconstance.

Soyons constant dans notre envie de vivre le présent pour en apprécier tous les bienfaits instantanément.

Filtrons l'amer de certaines situations pour en garder majoritairement le bon.

Parfois, dans le présent, on prend un coup, voire deux ou bien plus. Mais plus nous resterons dans le passé, sans revenir au renouveau perpétuel du présent, plus nous resterons accrochés au mal que l'on a vécu. C'est aussi pour cela que le présent est bon à vivre et à saisir.

LE PRÉSENT EST L'OCCASION DE NOUVEAUX DÉPARTS

Commençons nos journées comme une belle page blanche. Et, au fil des jours, le roman de notre vie s'éclaircira.

« Pour composer notre bonheur
il faut y faire entrer celui des
autres. »

COMTESSE DE SÉGUR

« Le bonheur veut tout le monde
heureux. »

VICTOR HUGO

« Prends ton temps, la vie n'est
qu'un moment. »

MC SOLAAR

« Le seul bonheur qu'on a vient du
bonheur qu'on donne. »

ÉDOUARD PAILLERON

BONHEUR

Donner du sens à nos existences

L
a vie est belle quand on y trouve un sens. Le plaisir de l'âme naît de la sensualité de nos cœurs. Un cœur sec ne nous ouvrira jamais la porte des délices terrestres. Pour être heureux, pour vivre de joies en joies, il faut accompagner nos actes d'un amour vrai et sincère et y mettre du sens.

Le bonheur ne se consomme pas, il se fabrique

Nous sommes les artisans de notre bonheur qui est à considérer seulement comme la « cerise sur le gâteau » de nos vies.

Le bonheur doit se mériter. C'est un peu comme décrocher les félicitations du « jury du royaume des cieux ». Le vrai bonheur c'est la récompense de nos bonnes actions. Il ne s'agit donc pas de satisfactions personnelles qui nous nourrissent un instant et nous quittent juste après. L'authentique bonheur ne se construit pas sur nos « autosatisfactions » mais aux détours de nos « auto-accomplissements ».

Nous sommes tous incarnés pour enfanter ensemble un monde meilleur

Une fois que nous aurons intégré cela et que, par de bonnes actions, nous trouverons la paix de l'âme, alors nous aurons le droit de goûter au bonheur et de guincher au banquet parce que le travail sera accompli.

Et si le bonheur, pour nous, n'est pas pour ici-bas, réjouissons-nous et persévérons dans la voie des bonnes actions car alors notre bonheur se prépare dans l'éternité.

Dans les jours où le bonheur tarde à nous envelopper, tâchons de nous rappeler ces paroles du Christ qui ont marqué l'éternité par leur beauté. Ces mots ont voyagé pendant plus de deux mille années pour arriver jusqu'à nos oreilles. Qu'elles entendent si elles sont encore capables d'écouter. Et que nos âmes se rassurent : nous portons tous notre croix ici-bas. Riches, pauvres, vaillants, boiteux, laids, beaux, juifs, chrétiens, musulmans, protestants, hindouistes, bouddhistes, athées, personne n'est épargné.

Penser que le voisin a plus de chance est seulement le fruit des apparences. Nous n'avons pas moins de chance. Nous mettons simplement plus de temps à faire notre chemin.

Ces paroles du Christ semblent universelles, leur soutien n'a pas de frontière quand on souffre sur terre

« Heureux les doux, car ils posséderont la terre !
Heureux les affligés, car ils seront consolés !
Heureux ceux qui ont faim et soif de la justice, car ils seront rassasiés !
Heureux les miséricordieux, car ils obtiendront miséricorde !
Heureux ceux qui ont le cœur pur, car ils verront Dieu !
Heureux ceux qui procurent la paix, car ils seront appelés fils de Dieu !
Heureux ceux qui sont persécutés pour la justice, car le Royaume des cieux est à eux !
Heureux serez-vous lorsqu'on vous outragera, qu'on vous persécutera, qu'on dira faussement de vous toute sorte de mal, à cause de moi. Réjouissez-vous et soyez dans l'allégresse, parce que votre récompense sera grande dans les cieux ; car c'est ainsi qu'on a persécuté les prophètes qui ont été avant vous.
Vous êtes le sel de la terre. Mais si le sel perd sa saveur, avec quoi la lui rendra-t-on ? »

Extrait du Chant des béatitudes

Tout est possible

Nous sommes tous appelés à une seule espérance, celle d'un monde apaisé et heureux. Et pour que le monde connaisse le bonheur, n'est-il pas vital que chacun de nous s'apaise ?

Prenons soin de nous. Arrêtons de ressasser le passé et ses mauvais pièges. Laissons nos peurs de côté et faisons un pas en avant. Un pas de libération vers un renouveau qui souffle au creux de nos âmes le message que tout est possible, que le bonheur ici-bas est accessible. Qu'il suffit juste de marcher encore un peu sans se décourager.

Il faut du temps pour comprendre que nous avons besoin de peu pour être heureux. Les ingrédients principaux du bonheur ne sont-ils pas la réalisation de soi ? L'amour ? Et un peu de « pain » et d'eau pour vivre.

Nous avons tout sur notre terre pour être heureux

Le problème c'est qu'au lieu de chercher l'essentiel, nous vrillons vers ce qui brille.

La profusion des choses matérielles ne rend pas fondamentalement heureux.

L'abondance est vivifiante et rassurante, mais celle dont nos âmes ont soif ne découle pas nécessairement de l'amas compulsif d'objets non indispensables chez nous…

Évidemment que les belles choses, les jolies robes, les carrosseries hors de prix, apportent charme et saveur à nos vies.

Évidemment que nous devons vivre avec notre temps et toutes ses merveilleuses avancées technologiques.

Bien sûr, lorsque l'on peut s'offrir tout l'or du monde avec de l'argent gagné honnêtement, autant en profiter. Bien évidemment, un écran plasma épais comme un livre de poche sur le mur en face du canapé, c'est jouissif.

Bien sûr, si on peut accéder au luxe sans difficulté, c'est bien. Mais pas au détriment de ce qui nous nourrit profondément et complètement : la vie, l'amour, le partage, les rires…

PRENONS LE TEMPS DE VIVRE POUR SAVOURER LE BONHEUR

LE TEMPS DE VIVRE

Prenez le temps de jouer,
c'est le secret de l'éternelle jeunesse.

Prenez le temps de lire, c'est la source du savoir.

Prenez le temps d'aimer et d'être aimé,
c'est une grâce de Dieu.

Prenez le temps de vous faire des amis,
c'est la voie du bonheur.

Prenez le temps de rire, c'est la musique de l'âme.

Prenez le temps de penser, c'est la source de l'action.

Prenez le temps de donner,
la vie est trop courte pour être égoïste.

Prenez le temps de prier, c'est votre force sur cette terre.

PÈRE DOMINIQUE NICOLAS

NOUS AVONS DE LA CHANCE

Nous vivons justement dans un monde où tout est possible. Tout est accessible. Nos moyens de communications sont transcendants. Le Net est une révolution et nous permet de décupler nos activités.

Là où, avant, les vies étaient plus cloisonnées, aujourd'hui, nous avons accès à beaucoup plus de possibilités, la palette des choix est immense. Mais à quel prix ?

POURQUOI EST-IL SI COMPLIQUÉ D'ÊTRE HEUREUX DANS L'ÈRE OÙ « TOUT EST POSSIBLE » ?

Et si on pouvait imaginer une « pyramide de l'amour » un peu à l'image de la « pyramide des besoins de Maslow » (voir encadré : La pyramide d'Abraham Maslow, pour se rafraîchir la mémoire).

Comment ne pas croire au bonheur quand on a tout en face de nous ? La réponse est simple. Encore faut-il avoir reçu l'essentiel à la base, le nécessaire élémentaire pour le bon développement d'un individu. Le besoin fondamental et vital : l'AMOUR.

L'AMOUR EST LA CONDITION DE NOTRE BONHEUR

On peut tout avoir, si on n'a pas eu l'amour, on sera bien démuni. D'où la nécessité de comprendre et de réaliser l'importance d'aimer et d'être aimé, de faire un enfant dans l'amour et par amour, d'aimer son travail, de sentir l'amour de ses amis, d'avoir des hobbies parce qu'ils nous font plaisir et non parce qu'ils nous rendent plus performants.

Faites-vous plaisir, faites l'amour avec plaisir, faites la cuisine avec amour, dégustez-la avec joie. Mettez de l'humour et de l'amour dans les plus petites tâches du quotidien et vous serez heureux.

Notre bonheur dépend de nos choix et de notre aptitude à faire des petites choses avec beaucoup d'amour.

Un travail où l'on n'aime ni ce qu'on y fait, ni ceux qu'on y côtoie, ni ce qu'on en récolte est à repenser. Un couple sans amour vrai (celui où on ne fait pas de concessions mais où l'on prend plaisir à faire plaisir à l'autre) est à rebooster. L'amour est la condition de notre bonheur.

LE BONHEUR PASSE PAR L'AMOUR

Inventons ensemble une pyramide des « besoins d'amour », condition de notre bonheur. La « pyramide de l'amour » qui va suivre est une proposition de classification hiérarchique des « besoins d'amour » répertoriés de la conception d'un être humain à son aboutissement.

LA PYRAMIDE DES BESOINS D'AMOUR

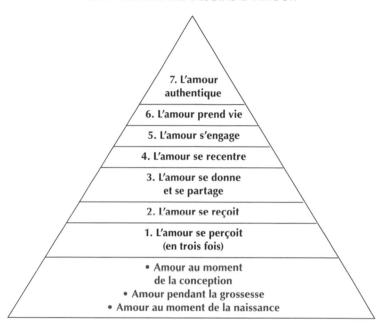

1. L'amour se perçoit (en trois fois !).

• **Amour au moment de la conception** : l'enfant perçoit *l'amour parental* si l'acte créateur se fait dans un amour et dans un désir mutuel, entre le père et la mère.

• **Amour pendant la grossesse** : l'enfant perçoit *l'amour maternel* en grandissant dans le ventre aimant, doux, responsable, serein et protecteur de sa mère.

• **Amour au moment de la naissance** : l'enfant perçoit *l'amour paternel* car au moment de la naissance la mère accouche et le père accueille. Cette donnée symbolique est très forte : la position de la mère qui enfante ne permet pas l'accueil. C'est le père qui (symboliquement ou dans les faits) est au premier rang de l'accueil.

2. L'amour se reçoit : une belle enfance se nourrit d'amour parental sain, de tendresse familiale loin des chantages et de l'amour conditionnel du type : je t'aime seulement si tu es gentil(le).

3. L'amour se donne et se partage : l'estime des autres commence. L'amour circule sainement. Il se donne et se reçoit dans la sphère amicale, familiale, sociale.

4. L'amour se recentre : l'estime de soi commence. C'est l'heure de la découverte de son potentiel, de sa valeur, de son unicité. L'équilibre intérieur ne dépend plus du contexte ou du regard extérieur. L'amour est libre sans dépendances affectives.

5. L'amour s'engage : l'amour a trouvé sa cause et se met au service de celle-ci. L'amour s'ancre dans le temps car il prend des engagements. Il se dévoue à sa cause.

6. L'amour prend vie : il donne du fruit, il engendre, ou se réalise, se concrétise.

7. L'amour authentique : l'amour authentique est inconditionnel. C'est-à-dire qu'il se donne sans condition. Il EST quoiqu'il arrive. Il va au-delà du tangible. C'est une foi.

LE BONHEUR NE TOURNE PAS ROND

C'est comme si, de nos jours, nos sociétés de consommation avaient négligé nos besoins fondamentaux d'amour. Comment ? En les remplaçant par des tarifs horaires de nounous, des pensions alimentaires, des gardes partagées, et que sais-je encore, mais vous savez.

Comme si le fruit des divorces, de « l'amour libre » et des sociétés matérialistes avait donné le droit à de belles télés, des vacances au bout du monde, à défaut d'obtenir l'essentiel : de l'attention, des compliments, de l'amour, des paroles rassurantes, les bras et les regards protecteurs des deux parents.

L'amour ne s'achète pas, le bonheur non plus

Et si l'amour, seule valeur qui ne s'achète pas, était la seule qui nous nourrisse pleinement et durablement? Compliqué dans un contexte où l'on consomme et l'on jette tout, comme un petit sac plastique, quinze minutes en moyenne après avoir fait ses courses.

Tout se jette, le mariage, les *sex-friends*, les traditions, les employés, les amis. Rien ne semble résister à la tendance. Est-ce en jetant que l'on arrive à trouver un état de sécurité et d'harmonie intérieure? Où se cache le bonheur quand beaucoup ont perdu la valeur de l'amour? Où est la lueur, quand la vie de nos enfants, pourtant intouchable et sacrée, devient monnaie d'échange, objet de chantages entre deux parents qui ont déjà refait leur cv amoureux ailleurs?

Le bonheur, un équilibre

En attendant d'atteindre le Nirvana, contentons-nous déjà d'assumer nos choix et d'arrondir nos angles en apportant de l'amour et de l'attention à nos foyers, nos familles et ceux qui croisent notre chemin.

La pyramide de Maslow est une classification hiérarchique des besoins humains.

La pyramide d'Abraham Maslow
(pour se rafraîchir la mémoire)

1. Besoins physiologiques (manger, boire, dormir, respirer, se reproduire).

2. Besoins de sécurité (du corps, de l'emploi, de la santé, de la propriété).

3. Besoins d'appartenance et affectifs (amour, amitié, intimité, famille, sexualité).

4. Besoins d'estime (confiance, respect des autres et par les autres, estime personnelle).

5. Besoins de s'accomplir (morale, créativité, résolution des problèmes).

Maslow distingue cinq grandes catégories de besoins humains. Il considère que l'on passe à un besoin d'ordre supérieur quand le besoin de niveau immédiatement inférieur est satisfait.

Source : Le Sémioscope. www.lesemioscope.free.fr + Wikipédia.

« La prière engendre la foi,
la foi engendre l'amour et l'amour engendre
le service des pauvres. »

MÈRE TERESA

« Console-toi, tu ne me chercherais pas si tu
ne m'avais pas déjà trouvé. »

BLAISE PASCAL

« Il y a deux choses sacrées, en religion, la
foi, en union, l'amour. Croyez, aimez. Ceci
est toute la loi. »

VICTOR HUGO

« Sur terre, il n'y a qu'une star, c'est Dieu. »

MC SOLAAR

« Tu étais au plus intime de moi-même et
moi, j'étais dehors. Tu étais toujours avec
moi, mais c'est moi qui n'étais pas avec toi. »

SAINT AUGUSTIN

« Quand je ferme les yeux, c'est pour mieux
ouvrir les cieux. »

GRAND CORPS MALADE

« Si j'étais Dieu, je serais peut-être le seul à
ne pas croire en moi. »

SERGE GAINSBOURG

« Mange, prie, aime. »

ELIZABETH GILBERT

« L'homme est l'être qui cherche Dieu. »

JEAN-PAUL II

AIMER L'HOMME ET LA VIE C'EST ADORER DIEU

La foi est l'impalpable de nos vies. Quand on la trouve, on la cherche encore. Quand on la cherche, on l'a déjà trouvée. Et quand on ne la cherche pas, on la vit autrement !

Nous naissons avec le droit de croire, ou pas, en une présence supérieure car, avant tout, nous naissons libre. Libre de chercher ou libre de refuser l'existence d'un plus puissant que l'homme. Simplement libre.

Il n'y a pas de bons ou de mauvais points à comptabiliser entre croyants et non-croyants. La seule chose qui compte, c'est le respect des différences. Surtout en matière de foi.

Il existe autant de domaines de réalisations possibles que d'expériences terrestres pour construire son âme et bâtir sa vie. L'être humain ne passe pas nécessairement par la foi pour s'élever spirituellement. Cette notion est primordiale. Elle ouvre les écoutilles de nos raideurs et nous montre combien nous n'avons pas à juger notre voisin. Ni à estimer sa crédibilité en matière de croyance.

L'art, par exemple, peut être une façon merveilleuse
de matérialiser une foi pourtant « non révélée », « non
avérée » dans la vie de l'artiste. L'homme qui crée peut
juste suivre l'inspiration qui le guide, sans croire en quoi
que ce soit de supérieur. Il suit son instinct, c'est tout. Et
pourtant, le mystère qu'il peut approcher et saisir parfois
du bout de la matière qu'il transforme peut révéler une
part de l'indicible énigme divine. Les artistes contribuent
à la matérialisation de la beauté du mystère humain.

VIVRE, C'EST AVOIR LA FOI

Et si nous étions tous des artistes ? Les artistes de notre
monde, dotés d'une foi merveilleuse et distincte qui va
simplement s'exprimer dans le quotidien de nos vies
de manières si diverses et variées. Mères de famille ou
comptables, industriels ou médecins, notre foi ne se
matérialise-t-elle pas au fil de nos journées plutôt que
dans les temples, mosquées, synagogues ou églises ?

Chaque petit acte fait avec amour n'est-il pas une prière
douce et puissante qui honore et rend grâce au ciel à
notre insu ? Ou simplement un acte de foi posé comme
une pierre à l'œuvre de l'humanité ?

Nos comportements sont la matérialisation de notre
foi, qu'elle soit avérée ou discrète. Moralité : vivre, c'est
avoir la foi. Le reste appartient aux étoiles, pas aux
petites créatures charmantes et adorables que nous
sommes.

Un seul Dieu, tous pour Dieu !

Il y a cette très belle pensée du dernier des moines de Tibhirine qui confiait, lors d'une interview (*Figaro Magazine*), que tous les hommes montent ensemble vers le même Dieu. Comme on monterait le long d'une immense échelle. Les juifs et les catholiques d'un côté et les musulmans de l'autre, par exemple. Chacun à sa façon avec ses croyances et ses traditions mais nous montons résolument tous vers la même puissance d'amour salvatrice.

Que ceux qui ont le don de foi le vivent comme une ouverture aux autres. Comme une façon de supprimer les barrières plutôt que comme un mur qui s'érige entre les êtres pour savoir qui a raison ou qui a tort.

Adorer Dieu c'est aimer l'Homme

Qui a une vraie foi aura l'amour. Qui pense avoir la foi, mais ne l'a pas, jugera les autres au lieu de les aimer avec leurs différences.

Toutes les religions sont justes tant qu'elles mènent au respect et à l'amour de notre prochain. Toutes les voies mènent au même Dieu qui est Un. Chaque religion, chaque tradition, apporte un éclairage précieux aux hommes en quête de Dieu que nous sommes.

Nous recherchons tous le même Dieu, mais comme nous sommes tous différents, nous utilisons des méthodes à l'image de nos diversités. C'est simple comme tout.

L'amour des autres est le signe de la grande gloire
divine qui nous a tous désirés égaux mais différents.
Alors cessons de nous quereller, tendons-nous la main.
Cessons d'avoir peur et unissons-nous au nom d'un
monde meilleur et plus serein.

IL Y A EN NOUS PLUS GRAND QUE NOUS

Tu m'as dit, Nicolas, que tu étais incroyant. Mais
tu crois en toi. Ce qui est essentiel. Tu crois en
la vie. Comment pourrions-nous vivre sans faire
crédit à la vie?
Nous sommes faits pour être vivants. Il y a
le monde de l'invisible, l'immense qui nous
déborde de toute part, le mystère de Dieu.
La spiritualité, la prière et des hommes et des
femmes qui sont habités par le souffle. J'ai fait
l'expérience de descendre en moi, dans ce
sanctuaire intime, pour y chercher la présence
de Dieu. Ce voyage intérieur est une aventure.
Point n'est besoin d'entreprendre de grands
pèlerinages à travers le monde. J'ai compris que
Dieu n'était ni extérieur, ni lointain. Il y a en
nous plus grand que nous : chacun peut avoir
accès à cette présence de Dieu en lui. Cette
présence ne me quitte pas ou que j'aille […].

Je crois en Dieu parce que je crois en l'homme

Deux mains ne se lavent bien qu'ensemble. Ainsi en est-il de l'homme et de Dieu. Ils ont partie liée. Tout ce qui touche l'homme touche Dieu. Si on blesse l'homme, on blesse Dieu. Si on le méprise, on méprise Dieu […].

Quand on aime, il ne fait jamais nuit

Nicolas, tu es venu spécialement à Paris pour mes 75 ans. Ce fut pour moi une magnifique surprise et un très beau cadeau. J'ai été très ému par ton intervention pleine d'émotion, de tendresse et d'humanité. Tes paroles venaient du cœur. Heureux es-tu d'être un citoyen engagé. Un cœur plein d'humanité. En te mettant au service des autres, tu connais la vraie grandeur. En luttant contre les injustices, tu donnes l'espoir qu'un autre monde est possible. Quand on joue sa vie sur l'amour, on joue bien sa vie. Quand il y a de l'amour, on peut aller très loin. »

Extrait du livre
Quand on aime, il ne fait jamais nuit,
de Mgr Jacques Gaillot (éditions Mordicus).

LA FOI EST CE BANDIT HORS LA LOI QUI VOLE NOS ESPRITS ET LES ÉLÈVE AU RANG DES CIEUX

C'est un don, un cadeau divin que demande le cœur à genoux. La foi s'entretient comme une lampe à l'huile. Il faut demander pour recevoir et méditer (remettre de l'huile) pour que la flamme de notre lampe ne s'éteigne jamais.

La foi d'un jour, voire d'une poignée d'années, n'est pas la foi. C'est une perception passagère, une croyance fragile, une approche timorée de la beauté céleste que l'on délaisse pour mieux replonger dans les bassesses du monde.

La foi est la loi de nos cœurs, le pilier de nos belles œuvres. Sans elle, nous ne faisons rien de bien. Alors croyez que tout est possible et rien ne vous sera refusé.

« La liberté, c'est le respect des droits de chacun, l'ordre, c'est le respect des droits de tous. »

MARBEAU

« Rien n'est avantageux qui te fait perdre le respect de toi-même. »

MARC AURÈLE

« Le respect de soi permet d'en avoir pour les autres. »

JOSÉ GARCIA

« Il n'existe pas d'autre voie vers la solidarité humaine que la recherche et le respect de la dignité individuelle. »

PIERRE LECOMTE

L'AUTRE, C'EST NOUS !

Tout le mal que nous déversons sur l'autre est le mal que nous nous faisons (inconsciemment) à nous-même. Quand nous blessons l'autre, nous nous blessons nous-même.

Nous sommes vraiment tous frères. Nous sommes vraiment faits de la même chair. Nous sommes vraiment indissociables bien qu'uniques.

Au même titre que toutes les cellules d'un corps sont uniques et pourtant forment ensemble un seul tout qui est le corps.

NOUS, C'EST L'AUTRE...

En prenant soin de nous, nous prenons soin de l'autre. Cela dépasse notre système de pensée et pourtant c'est la réalité. En guérissant la cellule que nous sommes, nous « guérissons » une micro-partie du corps de l'humanité auquel nous appartenons en tant qu'être humain.

Enrayons la domination qui dupe les relations humaines

« Ce n'est pas la différence qui doit être crainte mais les extrêmes. »

MARC AURÈLE

La domination est le fruit de la peur de certains hommes et de l'ego des autres. Parfois, elle est aussi simplement le résultat d'une faiblesse humaine.

La domination agit comme une gangrène qui pourrit le corps de l'humanité. Elle a tellement infesté le monde qu'on ne réalise même plus sa manipulation sournoise. Elle régit les rapports humains dans toutes leurs strates.

Pourquoi arrêter les mauvais jeux de dominations humaines ?

Parce que, quoi qu'il en soit, ils nous rendent tous malheureux.

En dominant l'autre, on ne récolte rien de bon. Aucune satisfaction à court terme et beaucoup de désespoir sur le long terme.

En se laissant dominer on devient, inconsciemment, complice du jeu de la domination. Nous rendons le système possible, même en y participant seulement passivement.

En se laissant « enchaîner » par toutes sortes de maltraitances, qu'elles soient morales, physiques, psychologiques, nous devenons « acteur » du jeu du « méchant et de l'opprimé ». Et notre bonheur est très compromis dans un tel contexte.

COMMENT DIRE STOP À CES ENCHAÎNEMENTS ?

Pour certains, il faut arriver à la dernière goutte qui fait déborder le vase. Pour d'autres, il faut apprendre à être autonomes affectivement et/ou financièrement. Pour d'autres encore, il faut simplement se faire un peu plus confiance.

Ce qui est certain, c'est que si vous décidez de « sortir d'un système de domination » et que votre démarche est juste, votre bonne étoile vous suivra et vous aidera dans votre émancipation.

POUR BIEN FAIRE, IL FAUT ATTENDRE LE BON MOMENT

Le moment où vous serez intimement convaincus que vous avez raison de dire stop. L'instant où vous vous sentirez la force d'agir. Le point où vous serez suffisamment irrités pour avoir le courage de dire mais pas assez en colère pour vous faire entendre avec un discours juste.

« PARDONNE-LEUR, ILS NE SAVENT PAS CE QU'ILS FONT » J.-C.

« La foi n'est pas une croyance, c'est une expérience. »
SAINTE THÉRÈSE DE LISIEUX

Dites-vous bien que, souvent, celui qui vous « pourrit » la vie ne se rend pas compte du mal qu'il vous inflige. Formulez les choses, simplement et sans énervement, à celui ou celle qui vous met dans une mauvaise posture.

Expliquez-lui calmement pourquoi vous n'allez plus pouvoir accepter une telle situation. Justifiez avec justesse (c'est important) ce qui n'est plus tolérable et sans claquer la porte (ça aussi, c'est très important). Mais en demandant un changement d'attitude de la part de l'autre, vous mettrez ainsi un terme au schéma malsain de la domination.

N'oubliez pas que, bien souvent, on ne réalise pas le mal que l'on fait. Soyez tolérants dans votre fermeté et vous verrez, tout s'éclaircira.

QUAND L'AUTRE TENTE DE VOUS IMPOSER SA RÉALITÉ QUI SONNE FAUX POUR VOUS

Exprimez clairement et avec tact que vous ne partagez pas le même point de vue. Chacun est libre de voir la vie à sa façon. C'est même heureux ainsi. Si nous pensions toujours les mêmes choses au même moment, nous n'aurions aucune matière pour ouvrir nos esprits et évoluer positivement.

Chacun doit prendre ses responsabilités dans ses dires et ses actes sans « déborder sur l'autre ».

L'IRRITATION EST LA MISE À L'ÉPREUVE QUE L'AUTRE NOUS OFFRE POUR GRANDIR

« Si la création artistique a besoin d'une "inspiration", le cheminement spirituel a besoin de grâce, qui est le don par lequel Dieu se communique lui-même, entourant d'amour notre vie, éclairant nos pas, frappant à la porte de notre cœur, jusqu'à l'habiter et en faire un temple de sa sainteté. »

JEAN-PAUL II

L'agacement devient comme l'opportunité idéale de nous positionner et de trouver notre vérité intérieure. Une opposition, si les deux « opposants » la prennent intelligemment, deviendra le meilleur moyen de grandir et d'être plus en accord avec soi-même.

In fine, l'autre est le meilleur chemin vers notre vérité car il nous permet de nous mettre face à nos réalités.

COMMENT FAIRE QUAND ON FAIT UN PAS VERS L'AUTRE ET QU'IL RESTE HERMÉTIQUE ?

Eh bien déjà, on peut être fier de soi. Car, l'air de rien, on vient de faire un grand pas vers le bonheur. En décidant d'aplanir une tension, on se fait du bien aussi à soi-même.

Faire un pas vers l'autre, c'est créer un pont d'entente entre lui et vous. Si l'autre décide de le laisser moisir, ce n'est pas grave. Patience. Mais attention au mauvais travers de refermer la porte au moment où l'autre voudra la franchir… Une foule de mauvaises raisons vous pousseront à détruire ce pas de l'autre vers vous. Des pensées du type : « il n'avait qu'à réagir avant », « trop facile de venir vers moi quand ça va moins bien pour lui » viendront vous perturber. Tenez bon dans votre idée de départ.

Que les choses soit dites : faire un pas vers l'autre, juste pour voir comment ou quand il va réagir, c'est malsain. Alors, avant de faire un pas, assurez-vous de vouloir le faire vraiment et de manière définitive. Tendre la main pour la reprendre va alourdir le conflit au lieu de le dénouer. Vigilance, persévérance et patience seront toujours vos meilleures alliées dans un processus de réconciliation.

ON A BESOIN DES AUTRES SURTOUT QUAND L'ESPOIR S'ENVOLE

Un événement terrible a endommagé, voire détruit votre vie, vos biens, votre optimisme, votre foi, votre psychisme, votre corps, votre famille, votre couple, vos enfants ou même votre âme et celle de vos proches.

C'est indicible parfois et incompréhensible toujours. Mais voilà, c'est arrivé et la seule chose qui vous reste à faire, c'est de réapprendre à vivre autrement. Pour autant, souvenez-vous que les autres seront souvent un soulagement possible dans l'horreur. Si vous arrivez à accepter l'aide dont vous avez besoin, vous vous ferez un joli cadeau.

L'ENTRAIDE RESTE LA PLUS BELLE SOURCE DE LUMIÈRE DANS LA BRUME

Souvenez-vous-en dans vos « jours sans » et tendez la main et l'oreille aux autres dans vos « jours avec ».

UNITÉ

NOUS SOMMES TOUS LES LOCATAIRES DE LA TERRE

L'unité est la valeur à intégrer pour que nous puissions enfin cohabiter tous en paix.

L'unité ne demande en aucun cas de se fondre dans un chemin commun ni dans une croyance unique. L'unité invite simplement à cohabiter ensemble, sur la terre, dont nous sommes tous les simples et merveilleux colocataires.

TANT DE CHOSES NOUS RAPPROCHENT

Nous sommes des êtres humains en quête d'une vie meilleure et plus aimante. Cette aspiration au bonheur, liée à notre condition d'homme et de femme, suffit à dessiner une ligne à suivre, un *all men's land*, pour le bien commun de chacun dans le respect de tous, quelles que soient nos croyances et nos appartenances.

CETTE LIGNE DE CONDUITE N'IMPOSE PAS LE DIVIN, MAIS IMPLIQUE L'HUMAIN DANS LA SIMPLE NOTION DE RESPECT DE SON VOISIN

Si nous arrivons à intégrer l'unique notion de respect, la paix régnera. Et pour bien faire, il suffit simplement de ne pas franchir les limites qu'on n'aimerait pas que quelqu'un franchisse vis-à-vis de nous-même.

Le respect se résume ainsi : « ne pas faire à l'autre ce qu'on ne souhaite pas que l'on nous fasse ».

L'UNION DES DIFFÉRENCES FAIT LA FORCE DE L'UNITÉ

L'unité s'enrichit joyeusement de nos diversités si précieuses et chaleureuses. La cohabitation de nos différentes appartenances et croyances donnerait tant d'intensité et de densité à cette idée d'unité « pluriculturelle », « multiraciale » et « interreligieuse ».

Mais voilà, l'unité n'attend que nous, et nous tous, nous freinons l'évolution du monde à coup de qui a tort ou qui a raison en matière de croyances.

Et si nous comprenions enfin que nos différences sont notre plus belle chance de développer nos intelligences ?

En s'inspirant les uns des autres, nous deviendrions plus complets, plus aboutis. Alors qu'attendons-nous ? Nous détenons tous une part de vérité de la Vérité universelle. Le problème c'est que, en guerroyant autour de faux sujets, nous nourrissons tous la « connerie universelle ».

Nous n'avons pas besoin de savoir qui a tort ou qui a raison en matière de croyances. Mais seulement à savoir vivre ensemble sans s'étriper.

Le Dieu de nos cœurs d'humains est un Dieu de vie et d'amour quel que soit le nom qu'on lui donne et la façon dont on le prie.

Ceux qui pensent « autrement » devraient maintenant comprendre qu'ils suivent inconsciemment un dieu de destruction et d'emprisonnement qui n'est autre que Satan. Seul Satan inspire la violence. C'est ainsi. Ce constat concerne malheureusement toutes les religions dès lors qu'elles basculent dans les extrêmes en faisant couler du sang ou privant des êtres humains de leurs libertés fondamentales au nom d'un « soi-disant dieu » qui est plutôt odieux, que Dieu !

Ce maudit diable est la cause de tous les drames, de toutes les violences, de tout le sang des guerres de religion, des persécutions, de la déraison, des abus sexuels, des dominations, des déviances, des dépressions, des maladies, etc.

Satan et ses mauvais complices sont le poison de notre humanité. Nous sommes tous, de près ou de loin, ses proies et ses victimes. Nous tombons tous trop souvent dans ses filets. Il n'y a pas de quoi s'autoflageller face à ce constat, cela serait donner au « mal » une nouvelle réjouissance.

L'important est d'ouvrir les yeux, de se relever et de décider d'agir en tentant d'être meilleurs, plus gentils, moins intransigeants, plus respectueux, plus doux, plus aimants, plus drôles. En plus, ça nous rendra plus heureux, tout simplement.

Et si nous nous unifions ensemble pour éradiquer le seul
ennemi qui nous disperse ?

C'est contre ce bougre de Satan que nous devons
« guerroyer » ensemble avec des armes qui nous
viennent du cœur.

Qu'il lève le camp une bonne fois pour toutes. Qu'on
le réduise à néant, ce satané Satan, à coup d'unité,
d'apaisement commun et de respect mutuel. Il n'aura
plus qu'à s'écraser et à se transformer, un peu comme la
boue sèche après la pluie, pour former un chemin enfin
« praticable ». Un chemin plus vivable.

Une fois que nous aurons « asséché » ses satanés projets,
nous connaîtrons enfin la paix, la joie et la possibilité de
progresser sur des routes moins épineuses et bien plus
lumineuses.

FRANCE

« Liberté, Égalité, Fraternité. »
Devise de la France

France, toi dont le nom résonne comme un bruissement de foi et de vérité. France, toi qui t'es toujours battue au nom de ta devise sans qu'elle te divise.

France, toi, la fille sacrée, l'hexagone parfait, toi la verdure, toi l'ouverture, toi la montagne, les mers et les vallées. Toi, la franchise ancrée en ta terre, réveille-toi France et sois la première à mettre l'amour au goût du jour.

France, toi, la fille aînée de l'Église, toi, dont chaque village recèle les plus belles églises, dont chaque visage excelle ta franchise, toi, dont les frontières ont été dessinées pour révéler la beauté du ciel sur la terre. Garde ta loi, France, retrouve ta foi et agis au nom de l'unité dans l'humanité.

France, toi qui fus la première à avoir placé Dieu au premier rang de ton engagement. France, toi, patrie de la grandeur qui a su rester à peu près humble à travers le temps. Toi, l'héritage de nos pères qui ont voulu notre État libre, égalitaire et fraternel, lève-toi avec ta noblesse dans le cœur, et tout en douceur, prends ta place dans le monde en rayonnant de tes dons, l'entraide chevillée à ton joli nom.

France, modifie-toi. Renouvelle-toi. Sois exigeante, lys de sagesse. Ne te laisse pas aller dans les complots de la facilité. Agis en fille aînée, pleine de responsabilité et de sens de l'honneur. Ne détruis pas tes acquis, France, sinon c'est ta mère patrie que tu trahis.

Sois généreuse en sachant garder ta belle autorité. Sois fidèle aux promesses de tes frères aînés qui ont versé leur sang pour notre partie d'héritage.

Donne l'exemple, fille bénie qui peut rester sagesse au cœur de la détresse. Vise la douceur même en temps de malheur et l'humilité sans t'adonner à la fragilité.

Délie-toi, sans fracas, de ta domination et de tes manipulations et agis au nom de l'Union à l'unisson.

Tu n'es pas une terre de sanction, mais tu sais que le travail des hommes contribue au succès d'une nation.

France, toi qui as fait naître au fil du temps les plus beaux édifices du monde, toi la créatrice de Paris, ville muse et musée à taille humaine incontestée. Toi, le pays de l'amour, les ruelles de l'amitié, la place des tourtereaux du monde entier. Sois patiente mais ferme dans ta volonté de t'améliorer.

France, tu as ouvert tes bras en ouvrant tes frontières, tu n'as plus qu'à ouvrir ton cœur pour que l'autre devienne l'un des tiens. Montre l'exemple, belle française, et les autres s'inclineront. Tu es devenue terre d'accueil après t'être battue pour créer tes frontières, alors ne finis pas si rapidement en cimetière.

France, tu as eu la chance de ne pas avoir à fuir car tes pères ont su assurer tes frontières. Garde tes biens, jolie française, ils sont à toi. Ils sont ton héritage, ta part de droit, mais au passage, ouvre ton cœur et sache avec ta noblesse et sans détresse accueillir sans te laisser te démunir. Et souviens-toi que, en des jours plus anciens, mais pas si lointains, tu fus maître en terrains qui n'étaient pas les tiens.

Que chaque homme, chaque femme et chaque enfant qui forme, aujourd'hui, notre hexagone à tous, forme, ensemble, un tout. Un tout uni et respectueux. Un ensemble joyeux et chaleureux.

Que ceux qui arrivent le cœur meurtri soient accueillis et même chéris, mais qu'ils respectent l'âme française. Que leurs mains soient pleines d'entraide et d'ouverture car nos valeurs et nos terres ne sont pas à fiche par terre. Main dans la main, cœur à cœur, travaillons et agissons ensemble pour retrouver le sens de notre pays qui a déjà fait sa révolution pour défendre la Liberté, l'Égalité et la Fraternité.

Tous frères, n'est-ce pas le sens de notre patrie ?

Nous sommes des bohémiens de passage en ce monde, des voyageurs en quête de bonheur, alors voyageons ensemble sans freiner le chant des troubadours que nous sommes. Partageons notre pain honnêtement. Personne n'a jamais dit que la vie devait être facile. Elle est une quête de soi, un élan vers l'autre (et en aucun cas une conquête de l'autre !). La vie est une tentative de devenir meilleur malgré nos rancœurs.

France, toi l'éloge de la gourmandise, croissant au beurre à tes heures, baguette fraîche à toute heure. Toi, la reine du camembert, la funambule des fines bulles, l'insolente Bordelaise aux tanins taquins, toi l'équilibriste, qui d'un trébuchement divin créa la tarte Tatin. France, sois certaine de tes dons et de tes protections. Mais ne tarde pas à faire le bien car l'horloge du monde tourne et pas seulement en vain.

France, tu as tout en toi pour recréer les codes de ta loi. Cette loi qui vibre en toi depuis tes premiers pas et qu'il est enfin temps d'établir dans une démarche d'union, puisque notre France est un nouveau beau visage aux mille couleurs.

Et pour qu'il soit celui de mille saveurs, élargissons nos cœurs et œuvrons ensemble, prions et rendons grâce à l'unisson chacun avec nos traditions en arrondissant nos convictions. Travaillons à la chaîne au nom de la dignité humaine et nous nous libérerons ensemble de nos chaînes.

« Aucune grâce extérieure n'est complète
si la beauté intérieure ne la vivifie.
La beauté de l'âme se répand comme
une lumière mystérieuse sur
la beauté du corps. »

VICTOR HUGO

« La beauté est dans les yeux de celui qui
regarde. »

OSCAR WILDE

« La beauté sauvera le monde. »

DOSTOÏEVSKI

« Une beauté qui ne serait pas fondée sur
le bien est-elle encore belle ? »

FRANÇOIS CHENG

« La vie est beauté, admire-la. »

MÈRE TERESA

« La beauté, c'est la signature de Dieu. »

CHARLES KINGSLEY

« La douleur passe, la beauté reste. »

PIERRE-AUGUSTE RENOIR

« La grâce, est plus belle encore que la
beauté. »

JEAN DE LA FONTAINE

« La meilleure crème de beauté, c'est la
bonne conscience. »

ARLETTY

BEAUTÉ

La beauté déborde autour de nous mais nos yeux sont trop tristes pour la voir

Notre monde est beau. Il n'y a qu'à observer un paysage, un dégradé du ciel, un décolleté de flanc de montagne, la finesse d'une écorce, l'élégance d'une fleur, la rondeur d'une pomme, la fraîcheur d'une feuille pour comprendre que le monde dans lequel nous vivons n'est que beauté, harmonie, splendeur et majesté.

Et nous les hommes, n'avons-nous pas été ajoutés en touche suprême à l'œuvre sublime de la vie?

La beauté est un clin d'œil céleste

Nous, les humains, rois de cette nature insolente de beauté, de joie, de renouvellement, de richesse, d'exubérance, de charme, de ruissellements, ne sommes-nous pas les élus de cette terre d'accueil faite sur mesure pour nous?

La beauté est comme le clin d'œil céleste qui nous dit ses « je t'aime » que nous sommes bien incapables d'entendre.

Elle est le témoignage parfait que la vie qui souffle en nous se consume d'amour pour nous. La beauté est le cadeau du ciel comme amoureux de ses créatures.

L'HOMME EST LA CERISE SUR LE GÂTEAU DE LA CRÉATION

Le ciel nous veut du bien. Il nous a tout donné. Et nous, en enfants ingrats, nous préférons nous quereller avec nos frères plutôt que d'apprécier ce don de vie parfait dont nous sommes l'aboutissement ultime. Et si nous étions la cerise sur le gâteau de la création ?

LA BEAUTÉ, CE PETIT SUPPLÉMENT D'ÂME

La beauté est ce petit quelque chose d'indicible mais qui se perçoit de manière instinctive et évidente quand on la croise.

La vraie beauté nous met à genoux. Elle déploie un sens universel et magnifique qui nous saisit de l'intérieur car nous sommes avant tout façonnés de beauté et d'amour.

La beauté ravit ceux qui la croisent et donne spontanément l'envie de devenir plus beau. Elle est intérieure et se reflète à l'extérieur.

La beauté est le reflet de Dieu sur notre terre. Le Christ, beauté divine incarnée, douceur et humilité faite de chair et d'os, nous a prouvé que nous pouvions tous exceller de beauté.

S'il l'a fait, on peut le faire ! Car nous sommes aussi un mélange étonnant de chair et de lumière.

Alors, débarrassons-nous un peu mieux de nos ombres pour être plus beaux.

NOUS SOMMES À L'IMAGE DE NOS ACTES

Et si, au cours de notre grand pèlerinage terrestre, nous finissions par être à l'image de ce que nous faisons, choisissons, actons au quotidien ?

Il y a comme une évidence de responsabilité à faire surgir dans nos consciences et à ancrer dans nos actions. Cette responsabilité est la part à prendre et à accepter pour gravir les marches de la vie.

Sans cette part responsable nous sommes comme des voitures sans essence bien incapables d'avancer. On est là, au milieu du monde, mais on bloque tout le monde.

Ne faut-il pas mieux une petite voiture en apparence simple mais qui roule comme un tout-terrain plutôt qu'un beau 4 × 4 *full options* qui ne démarre plus ?

LA VRAIE BEAUTÉ NOUS ÉLÈVE

La beauté, c'est une lumière qui brille autrement dans les yeux, un parfum qui flotte, nous dépasse et nous donne l'envie de nous dépasser.

La beauté nous élève, c'est l'assesseur de notre humanité. L'exemple à suivre, la réalité à imiter.

Les roses du bien nous embellissent, les roses du mal nous enlaidissent

L'art peut matérialiser la beauté ou l'enlaidir. Tout dépend de l'artiste. Les roses du mal poussent aussi dans le monde. La laideur a sa beauté perverse, séduisante et parfaite en apparence. Elle nous attire comme des mouches devant une flaque de confiture.

Tout l'enjeu est là. Reconnaître et distinguer les roses blanches des roses noires. La vraie beauté s'accompagne nécessairement de véritables vertus. La grâce authentique, baume divin de la bonté, est la seule vraie beauté à faire éclore pour être heureux. Elle est l'unique chemin vers le bonheur car elle est enracinée dans une terre saine.

Les charmes séduisants fondés sur la vitesse, le manque de sens et la séduction dépourvue de cœur enchaînent et trahissent ce qui est pourtant inné en chacun de nous : notre aspiration à la beauté pure. En coupant les liens avec nos tendances négatives, nous pouvons renaître dans l'harmonie, la vérité et la beauté authentique.

La beauté fait partie de nous, il suffit de la retrouver

Nous sommes beaux. Nous sommes amour. Mais nous nous sommes « salis ».

On est un peu comme une âme d'une blancheur indicible qui, à force de faire n'importe quoi, finit par trébucher dans un nuage de boue. Alors on se sent sale et laid (inconsciemment) et on se conforte dans des comportements qui nous aspirent vers le bas, mais que l'on connaît bien. À terme, aucune vraie joie ne pourra être extraite de ce genre de comportements qui manquent de sens.

La bonne nouvelle? Nous avons la possibilité de nous « nettoyer ». Il existe un grand pressing incroyable qui ne refuse aucun vêtement et qui enlève toutes les taches de ce monde. Ce pressing qui nous dépasse, et pourtant qui est bien réel, nous demande dans un premier temps de faire nous-même un « premier lavage à l'eau ». Un nettoyage au quotidien de nos actions. Le nom de la lessive à utiliser : « responsabilisation ».

Rassurez-vous, ce « lavage à l'eau » n'a rien de violent ou d'impossible à appliquer. Il permet juste de comprendre le rôle que l'on a eu dans notre schéma de destruction afin de comprendre les comportements à changer pour être enfin heureux.

Pour devenir plus heureux, il faut lâcher les comportements « de sabotage » auxquels nous sommes accrochés inconsciemment, mais qui nous rendent insatisfaits au fond de nous.

« Responsabilisation » n'entraîne en aucun cas des mortifications en tout genre.

« Prendre ses responsabilités » en vue de quitter ses vieux archétypes obsolètes ne signifie aucunement que vous devez vous mettre la rate au court-bouillon pour le restant de vos jours. Aucune vie monastique et/ou ascétique rabat-joie n'est exigée. Mais seulement une vie droite, honnête et responsable.

Exemple d'un schéma de sabotage : si on est obèse, que l'on souffre de cet état mais que l'on continue de manger plus que de raison, on ne deviendra jamais plus léger et donc plus heureux.

En quelque sorte, on est « responsable » de notre état, car c'est bien nous qui mangeons comme un ogre alors que nous sommes seulement un être humain.

Il en va de même pour nos vies. Si on passe son temps à se plaindre, on ne verra jamais les merveilles évidentes de nos existences. Si on préfère vivre à l'affût d'histoires faciles, on n'aura jamais accès à l'amour vrai. Si on passe son temps à trouver les femmes des autres meilleures que la nôtre, on ne comprendra jamais la vraie merveille qui partage notre vie. Si on vise l'argent qu'on n'a pas, on ne sera jamais pleinement satisfait.

Si on préfère critiquer les autres plutôt que de se remettre en question, on aura toujours des manques. Si on ne corrige pas les petites jalousies qui sont en nous, on restera toujours aigris.

Il est important de trouver ce qui vous rend beau et heureux pour le faire advenir. Tout comme il est vital de déceler ce qui vous rend malheureux pour enrayer ses mécanismes et passer à une vie meilleure.

La belle et bonne nouvelle ?

En quittant les chemins qui « salissent », on peut redevenir blanc comme neige et enfin heureux. Mais ces chemins vers la beauté, donc vers notre vérité demandent patience, persévérance et exigence. Dans ce monde où nous sommes à l'affût des bonnes combines qui donnent du plaisir instantané, pas facile de trouver la force de faire mieux. Pas évident de comprendre que l'on peut faire autrement.

Étape pour retrouver « sa beauté originelle » : un blanchiment pour un résultat plus blanc que blanc

Vous êtes le seul à pouvoir vous « nettoyer ». C'est important de le savoir !

Étape d'un bon « autolavage » en quatre temps :

– Prendre conscience de nos mauvais schémas (un peu comme se relever de la flaque de boue et réaliser qu'on est sale et qu'on ne sent pas bon).

– Décider d'arrêter nos mauvaises tendances (sortir de la flaque de boue).

– Prendre ses responsabilités (réalisation que si on en est là, c'est peut-être parce que l'on n'a pas cherché à dépasser nos mauvais travers). Cette prise de responsabilité entraîne naturellement une envie de demander pardon. Faire le nettoyage est actif ! Pardonnez-vous aussi. Vous n'étiez pas forcément totalement responsable d'avoir baigné dans l'erreur.

Vous avez peut-être connu un tas d'événements dans votre vie qui vous ont poussé à en arriver là. Le tout est simplement de recommencer un nouvelle page blanche de votre existence en laissant derrière vous vos habitudes pas toujours très appropriées.

– Changer de comportement en faisant des choses qui vous rendent vraiment heureux et qui ont vraiment du sens pour vous. Cette phase prend du temps. C'est là que vous n'aurez qu'une envie : baisser les bras. Vous pourrez trébucher à nouveau, et puis un jour, avec un peu de chance, vous aurez réussi à vous lasser vous-même de vos trébuchements et vous quitterez vos mauvais schémas.

CELUI QUI VEUT ÊTRE BEAU DOIT TENDRE VERS LA BEAUTÉ. IL N'Y A PAS DE SECRET, SEULEMENT DU BON SENS...

JOIE

« J'ai rencontré quelques peines, j'ai rencontré beaucoup de joie. C'est parfois une question de chance, souvent une histoire de choix. »

GRAND CORPS MALADE

« L'homme est fait pour le bonheur. Votre soif de bonheur est donc légitime. […] La véritable joie est une conquête, qui ne s'obtient pas sans une lutte longue et difficile. »

JEAN-PAUL II

« La moindre joie ouvre sur un infini. »

CHRISTIAN BOBIN

« Les tricheurs ne connaissent pas la vraie joie de gagner. »

MAURICE SACHS

« Conquérir sa joie vaut mieux que s'abandonner à sa tristesse. »

ANDRÉ GIDE

« Être capable de trouver sa joie dans la joie de l'autre : voilà le secret du bonheur. »

GEORGES BERNANOS

La tristesse révèle la Joie

« Il est des choses qu'on ne voit comme il faut qu'avec des yeux qui ont pleuré. »

L. VEUILLOT

Qu'est-ce que la joie sinon nos tristesses détournées ?

Sans la tristesse, nous ne connaîtrions pas la gaieté de la joie. Et pourtant, quand la tristesse s'abat sur nous, nous n'avons d'autres choix, pour la dépasser, que de la reconnaître et l'accepter en vue de la digérer plus tard.

C'est ainsi que la joie s'élève avec légèreté et puissance, qu'elle se savoure avec humour.

La vraie grandeur de l'âme se crée et se révèle dans la lutte qu'offre la vie

Servez-vous de vos tristesses comme d'un marchepied vers un détachement des attaques de ce monde.

En laissant derrière vous vos tristesses, vous cheminerez vers la joie.

Et n'oubliez pas que ceux qui savent bien pleurer sont aussi ceux qui savent bien rire. Ceux qui pleurent et qui rient sont de la race des vivants et des êtres vrais.

LA JOIE DANSE DANS NOS RIRES

Nos éclats de rires sont nos éclats de joie qui prennent vie en son et en lumière.

Ils libèrent nos tensions et redressent les abattements de nos cœurs. Ils aspirent en un rire les douleurs comme les malheurs.

LA JOIE EST L'EXPRESSION EXTÉRIEURE DE NOTRE BONHEUR INTÉRIEUR

Et notre bonheur intérieur n'est autre que notre satisfaction, fruit de nos bonnes actions.

Notre contentement naît de l'enchantement de nos actes vivants et accomplis.

Sans accomplissement, nous courons d'insatisfactions en déceptions. Et, peu à peu, nous nous endeuillons dans des désillusions qui raflent notre joie.

FAISONS DE NOS VIES DES HYMNES À LA JOIE

Fuyons les situations qui nous dévalorisent. Laissons de côté nos peurs et prenons le ticket de la vie. Celui qui, dépouillé de toute envie de perfectionnisme, nous procure la vérité discrète et parfaite des humbles.

Pour rire, il faut se démunir de ce qui nous encombre le cœur

Et si vous décidiez de vous débarrasser de vos mauvais réflexes ? Au diable la culpabilité, place au rayonnement chaleureux de la joie. N'oublions pas que nous sommes tous créés à l'image de l'amour.

Nous sommes le fruit béni de la joie. Nos handicaps et nos maladies ne sont pas des malédictions mais des occasions de transformation. Et le Christ s'est fait chair et il a pris tous les visages de notre humanité, de l'homme humilié à l'être adulé. Il connut la joie et la tristesse, l'amitié et la trahison, la multitude et la solitude. Son cœur fut couronné d'épines comme nos chemins de vie en sont criblés. Mais si nos épines étaient notre contribution à la rédemption du monde, une offrande à la joie des cieux ?

Alors rions et dansons pour enrayer les détresses et les tristesses. Et vivons, malgré nos conditions. C'est ainsi que nous nous libérerons des petites haines qui nous enchaînent.

SENSUALITÉ

Entre la terre et le ciel, il y a cet espace sensoriel

Il y a ce toucher, ce goûter, ce phrasé, qui révèlent tout en dentelle nos foulées d'humanité et de gaieté.

La sensualité est le sens que l'on veut bien déceler dans nos existences.

Le silence est sensuel

Entre deux notes de musique, il y a cette « ab-sens » de son qui nous offre un sixième sens à saisir. Le silence est l'or des notes, la symphonie ultime qui continue la danse dans le silence de l'infini.

La nature est sensuelle

La mousse d'un sous-bois déploie ce parfum de terre, cette force d'écorce. Elle a cette odeur de fraîcheur, gorgée de la rosée des plus belles matinées. La mousse couvre la terre de son vert audacieux. C'est le magma des bois, la couverture de Dame Nature qui s'offre en toute nudité à la plante de nos pieds.

LE CIEL EST SENSUEL

Il scintille de Java à Vintimille, de Mexico à Jéricho. Il nous enrobe de sa toge veloutée, mélange d'astres et de voie lactée.

Le ciel nous entoure sans détours et son pourtour semble là, pour toujours. Et pourtant, il paraît qu'un beau jour l'infini nous saisit, à l'instant de notre dernier cri.

LA PEINTURE EST SENSUELLE

Elle se mélange au fil des teintes, elle se maquille en clair-obscur. Elle s'admire, se donne en spectacle pour mieux danser sous nos pupilles. Elle se dévoile sur une toile, colore l'espace, habille les murs les plus obscurs. La peinture donne vie à l'immatériel, fige l'intangible pour mieux réveiller notre aspiration à la beauté.

LA MOZZARELLA EST SENSUELLE

Elle fond dans nos bouches, mélange de textures, de fraîcheur, de douceur et de rondeur au goût lacté. Elle incarne les charmes de la botte italienne, mère patrie de Botticelli et du Chianti. Elle s'offre à l'huile et se marie à la tomate. Généralement poivrée, elle a cette tendance à fondre en reine dans nos palets toujours un peu trop vite.

LE VENT EST SENSUEL

Il souffle et caresse, nous saisit et tente de nous faire chavirer dans son remous effréné. Il emmêle nos cheveux en nous claquant le dos pour mieux nous oxygéner les veines. Tantôt de l'est, tantôt de l'ouest, mais toujours insolent de tendresse, le vent, comme l'amour, ne passera jamais.

TOUT EST AMOUR ET SENSUALITÉ

Alors vivons en retrouvant les sens des jolies choses et retrouvons le bonheur de vivre. Rallumons la joie, accordons-nous l'humour et l'amour sans pour autant faiblir face au travail à accomplir.

ODE À LA SENSUALITÉ

La sensualité est la Chantilly de notre condition
humaine. Elle évapore ses douceurs et diffuse
ses charmes salvateurs.
Loin de la duperie, elle est le levain de la vie.
Elle se savoure des yeux, se caresse de la main,
se hume, s'entend ou se goûte.
La sensualité est cette délicatesse sans manière,
qui se recueille dans un zeste de geste ou dans
l'intonation d'une action.
Elle n'est pas exclusivement sexuelle. Bien au
contraire, la sensualité est l'offrande de nos
cinq sens, qui s'éveillent face aux délices de la
vie. Tout n'est qu'harmonie, beauté, équilibre,
abondance et fluidité. Il suffit juste de regarder
et de savoir apprécier le spectacle
qui nous entoure.
La sensualité donne du sens à nos expériences.
Elle apporte ce supplément d'âme, cette
jouissance des sens qui nous donne envie
d'aimer vivre.

Elle est cette grâce qui nous permet de nous délecter de tout sans jamais nous lasser. Elle est le témoin et la preuve que la vie est amour et ravissement. Alors qu'attendons-nous pour jouir de la vie et nous réjouir d'être en vie ?
Et que ceux qui s'alarment par ces dires charnels entrent dans la danse des sens sans perdre leur bon sens. Car pour que la sensualité exalte de beauté, il faut qu'elle soit purifiée de toute notion de sexualité mal placée.

LIBERTÉ

« Qui ne s'est jamais laissé enchaîner
ne saura jamais ce que c'est que la liberté. »

SERGE GAINSBOURG

« Il n'est point de bonheur sans liberté, ni de
liberté sans courage. »

PÉRICLÈS

« La première des libertés est la liberté de
tout dire. »

MAURICE BLANCHOT

« La liberté d'aimer n'est pas moins sacrée
que la liberté de penser. »

VICTOR HUGO

« La vraie liberté, c'est de pouvoir repousser
très loin les limites de sa liberté. »

NICOLE GARCIA

« On ne va pas mendier sa liberté aux autres.
La liberté, il faut la prendre. »

IGNAZIO SILONE

« Avance et tu seras libre. »

ANTARA IBN CHADDAD

À chacun son credo et son tempo

Nous sommes tous des êtres à éclore. Nous avons tous des rêves à vivre et à mettre en œuvre pour nous accomplir.

N'est-ce pas la plus belle source d'épanouissement que de trouver sa place en se réalisant ?

Le bonheur, c'est de trouver son credo et de le suivre sans l'imposer.

La liberté vibre en nous

La liberté, n'est-ce pas le simple accomplissement de soi dans le respect de l'autre ? Qu'attendons-nous pour nous donner le droit de nous libérer de nos chaînes ? Accordons-nous la joie. Visons le bonheur et nous l'aurons en plein cœur.

Au-delà des schémas, des projections, des peurs, des attentes, il y a ce qui vibre en nous depuis notre conception. Cette part de mystère qui nous fait préférer certaines choses à d'autres dès notre plus petite enfance. Cette part de liberté qui nous donne le droit de préférer le poulet au steak haché et de ne pas forcément aimer la mousse au chocolat alors que l'on a à peine deux ans.

Nos singularités sont les signes de notre liberté manifestée et autorisée. Nos différences sont l'or de nos caractères tant qu'elles respectent celles de l'autre.

LA LIBERTÉ A SES LIMITES QUE LA RAISON CONNAÎT

Canaliser sans étouffer, n'est-ce pas l'équilibre d'une bonne éducation ?

À l'image d'un tuteur qui aide une plante à s'élever, l'éducation soutient et maintient les jeunes tiges humaines que nous sommes. L'enjeu de l'éducation ? Permettre de trouver justesse et équilibre dans nos vies d'adultes.

Sans « brider » l'enfance, il est important d'orienter la jeunesse par le pouvoir de la sagesse des aînés.

L'ÉDUCATION EST LE CIMENT DE LA LIBERTÉ UNIVERSELLE

L'éducation est fondamentale dans notre monde. Elle l'est pour l'équilibre des familles mais aussi pour l'équilibre des rapports humains. Car les petits d'aujourd'hui seront les grands et la force de demain. Une jeunesse qui a grandi avec de mauvaises habitudes donnera une nation déstructurée.

Nous constatons, aujourd'hui, le phénomène d'« enfants rois » dans nos sociétés occidentales. En soi, il est bon de donner une enfance joyeuse, abondante et paisible à ses enfants quand on peut le faire. Mais pas n'importe comment. Pas sans donner les messages d'ouverture au monde, du respect de l'autre, de la gentillesse, du « merci » et du « pardon ».

ODE À LA LIBERTÉ

Liberté, tu es le drapeau de nos âmes et la
couleur de nos cœurs. Liberté, quand tu
nous tiens, plus personne ne nous détient.
Emprisonne-nous et nous serons libres.
Déploie tes ailes, belle hirondelle, et donne-
nous du zèle pour que nous quittions nos
citadelles.
Porte-nous, envole-nous et gonfle-nous de foi
en toi. Ne nous lâche pas !
Liberté, te nommer fait respirer. Ouvre nos
cages, démêle nos esprits et attire-nous dans ton
pays où tout l'infini est permis.
Liberté, donne-nous le goût de toi pour que
nous te cherchions au-delà de nos lois.

LA LIBERTÉ DES UNS S'ARRÊTE LÀ OU COMMENCE CELLE DES AUTRES

Les parents concernés par les petits rois en pyjama partent d'une bonne intention (tout pour faire plaisir à leurs enfants) mais le résultat sonne faux.

Cette « tendre domination » n'est pas juste pour les parents comme pour les enfants. La liberté s'arrête pour les uns là où commence celle des autres. Il est important de poser un cadre dans la construction des enfants pour qu'ils deviennent de vrais adultes sains et libres.

Les limites, posées de manière juste et raisonnable, sont un cadeau pour les enfants comme pour les parents.

Sans délimitation, peut-on seulement jouir positivement de sa liberté ?

LA CULPABILITÉ EST L'ENNEMIE DE NOTRE LIBERTÉ INTÉRIEURE

La culpabilité a cette fâcheuse tendance à nous mettre dans la position de notre propre persécuteur. Le poids des erreurs n'est-il déjà pas suffisamment lourd à porter ?

Pour sortir de cette tendance négative, vous pouvez vous dire que votre culpabilité est la preuve par A + B que vous êtes une très belle personne. Peu importe la faute que vous avez pu commettre si vous réalisez enfin votre erreur.

Soyez libres d'être plus heureux en vous disant que chaque seconde qui passe est une nouvelle opportunité de faire mieux.

La culpabilité appartient au passé. Avancez. Transformez-la et vous verrez, on peut tout transmuter en beauté, même le pire, si l'on décide de l'affronter et d'en faire quelque chose de bien.

« On devient libre quand on vit selon ses convictions et non pas selon ses intérêts, quand on cherche à être vrai. Mon slogan : "Tant qu'on a peur, on n'est pas libre. Mais quand on est libre, ça fait peur." Je trouve qu'il n'y a pas beaucoup de gens libres. Toute institution forme à l'obéissance. On est dans un monde de soumission. Si les exclus de la société acceptent leur triste sort, c'est du pain bénit pour les pouvoirs qui peuvent prospérer sans crainte. Mais les êtres libres sont des empêcheurs de tourner en rond. Ils osent dire non. Ils ne subissent pas leur vie. Ils ne s'installent pas. La réaction des tenants de l'ordre est toujours la même : les réduire au silence ou les faire disparaître. Mais des hommes et des femmes inconnus surgiront, comme ces jeunes du Printemps des peuples arabes qui ont fait entendre leur voix de façon inattendue et vivifiante. »

MGR JACQUES GAILLOT,
extrait de *Quand on aime il ne fait jamais nuit.*

SAGESSE

« La connaissance parle, mais la Sagesse écoute. »

JIMI HENDRIX

« La sagesse est fille de l'expérience. »

LÉONARD DE VINCI

« La patience est l'art d'espérer. »

VAUVENARGUES

« L'abeille et la guêpe sucent les mêmes fleurs mais toutes deux ne savent pas y trouver le même miel. »

ANONYME

« Le doute est le commencement de la sagesse. »

ARISTOTE

« Connaître les autres, c'est sagesse, se connaître soi-même, c'est sagesse supérieure. »

LAO-TSEU

« Apprends la sagesse dans les sottises des autres. »

PROVERBE JAPONAIS

« La sagesse est l'art de vivre. »

CICÉRON

« De la méditation naît la Sagesse. »

BOUDDHA

L'ART DE LA MÉDITATION

Méditer c'est se vider un peu de nos « préoccupations terrestres » pour s'offrir à la source de vie et la laisser travailler en nous. C'est donner l'occasion au divin de nous façonner de l'intérieur pour qu'il puisse se faire une petite place au creux de nos quotidiens rythmés de factures à payer, d'impôts à déclarer et d'enfants à élever.

La méditation permet de grandir spirituellement en êtres résolument libres, sans directeur de conscience, sans « guru », sans conditionnement mais seulement nourris par la source d'amour et de vie qui tressaille en nous et qui souffle autour de nous.

Qu'il est doux et bienfaisant de s'arrêter quelques instants chaque jour pour donner l'opportunité à la lumière qui est en nous de briller un peu plus.

MÉDITONS LE SENS DE NOS VIES POUR LEUR DONNER DU SENS

Méditer nous fait prendre conscience que nous sommes les vivants d'un monde invisible qui vit aussi. Se connecter à ce qui nous dépasse nous rappelle que nous avons de la valeur, du prix aux yeux de notre Créateur. Ces quelques minutes de recentrage sur notre essence nous aident à comprendre que nous ne sommes jamais seuls.

Et si, dans le monde de l'invisible, dans la vacuité apparente qui nous sépare des objets visibles, la vie régnait vraiment ?

Et si tous les anges s'agitaient et tentaient de déverser leurs grâces et leurs précieuses aides au milieu de nous, mais que nous ne « méditions » pas assez le sens de nos vies pour comprendre ?

Nous ne sommes pas des marionnettes mais bel et bien des interprètes

Et si nous étions tous les acteurs principaux, les êtres « visibles » d'une pièce de théâtre interuniverselle totalement invisible à nos yeux humains ? Et si, dans l'invisible du décor, les anges et les démons, les mages et les génies virevoltaient pour tenter de nous influencer, nous les Hommes, nous les êtres qui avons le magnifique pouvoir de tout transformer par nos actes et nos pensées ?

Nous sommes responsables du monde dès lors que nous y entrons

Jolis et puissants petits interprètes que nous sommes, réveillons-nous, éveillons-nous, le ciel a besoin de nous pour que le monde tourne dans le bon sens.

Notre conscience et notre sensibilité ont eu raison de notre instinct primaire, nous sommes responsables du monde dès lors que nous y entrons. Notre premier cri à la vie nous arrache à l'invisible et notre chemin commence. Notre mission débute. Le travail que nous avons à faire devient palpable. Encore faut-il le faire.

Mais ce cri nous a aussi fait oublier au passage le grand mystère de l'incarnation. Comme pour voir ce que nous avons vraiment dans le ventre. Comme pour tester notre aptitude à faire le bien…

Et si, au milieu du bal des anges, les âmes de nos ancêtres inclinées devant la scène terrestre rêvaient de pouvoir nous souffler : « si tu savais le don de vie, si tu savais comme le ciel t'aime » ? Et s'ils pouvaient seulement ajouter : « fais du mieux que tu peux en mettant beaucoup d'amour dans les petites choses que tu fais, et tu nous élèveras tous dans le ciel » ?

La prière, à la différence de la méditation, nous rend actifs

« Demandez et vous obtiendrez », nous a révélé le Christ, alors osons croire, osons demander, mais soyons patients. Ne faisons pas l'enfant et apprenons « l'art de vouloir sans vouloir », de demander sans exiger. Et surtout, agissons dans le sens de nos demandes ! « Aide-toi et le ciel t'aidera. »

Un coup de main nécessite deux mains !

Si vous demandez dans vos prières de trouver un bon métier sans prendre la peine d'en changer, ou de vous former pour, ou d'entamer les bonnes démarches en vue de décrocher ce travail, le ciel ne pourra rien faire pour vous.

Car pour que le ciel puisse vous « donner un coup de main », il faut que vous cherchiez à lui tendre votre main. Il faut d'abord que vous ayez tout mis en place, à votre échelle, pour rendre vos objectifs réalisables. À commencer par avoir des buts « réalisables » donc « réalistes ».

Si, par exemple, mon but est de gagner beaucoup d'argent sans travailler, je limite mes chances de succès. Il me reste deux solutions, la première, gagner au loto (mais je ne serai pas seule à tenter ma chance), la deuxième, pactiser avec le diable en visant l'argent facile (mais je compromets sérieusement mon *karma*, ma « mission terrestre » – ou je deviens un « très mauvais acteur sur la scène terrestre » donc un « petit détracteur de l'humanité »).

En faisant des démarches concrètes pour atteindre vos objectifs, vous tendez votre main pour recevoir l'aide de la main divine.

Eh oui, une poignée d'entraide célesto-terreste exige que nous fassions le nécessaire à notre niveau. Faites ce que vous avez à faire et le ciel s'arrangera du reste.

FAITES VOTRE PART DU DEVOIR ET LAISSEZ LES ÉTOILES SE CHARGER DU RESTE

Agissez dans le sens de vos souhaits. Soyez actifs et conscients dans vos destins. Et les portes du bonheur s'ouvriront dès ici-bas pour vous. Mais si vous agissez à contresens, vous ferez, au mieux, du surplace. Au pire, vous reculez…

Le bonheur ne se trouve pas sous le sabot d'un cheval. Ni la femme ou l'homme de votre vie, ni tout le reste d'ailleurs. Alors patience.

Agissez en conséquence de vos demandes. Ne partez pas tous azimuts dans vingt voies différentes. Mettez tout en œuvre dans le concret de vos vies pour arriver à vos envies.

Et quand vous serez prêts, si vos souhaits sont justes, au moment où vous le mériterez, le ciel dans son infinie bonté vous récompensera. Il vous aidera à réaliser vos rêves les plus beaux car c'est tout ce qu'il souhaite pour vous : votre bonheur.

SOUHAITEZ VOTRE BONHEUR, SOYEZ-EN LES ARTISANS ET VOUS L'OBTIENDREZ.

ENFANCE

« Les enfants ont tout, sauf ce qu'on leur enlève. »

JACQUES PRÉVERT

« Il reste toujours quelque chose de l'enfance, toujours. »

MARGUERITE DURAS

« Ce qui est beau en vous, c'est que chacun d'entre vous regarde les autres enfants et leur donne la main, sans différence de couleur, de condition sociale, de religion. Vous vous donnez la main les uns aux autres. Puissent les adultes faire comme vous et supprimer toutes les discriminations. C'est seulement ainsi que le monde trouvera la paix. […]

Il ne peut et il ne doit pas y avoir d'enfants utilisés par des adultes dans des buts immoraux, pour le trafic de drogue, pour des crimes petits ou grands, pour le vice.
Il ne peut et il ne doit pas y avoir d'enfant dans des maisons de correction où ils ne réussissent pas à recevoir une véritable éducation. »

JEAN PAUL II,
Discours aux enfants à San Salvador de Bahia au Brésil le 20 octobre 1991

« Prendre un enfant par la main, pour l'emmener vers demain. »

YVES DUTEIL

L'ENFANCE DÉTIENT CETTE PART D'INNOCENCE QUE NOUS, ADULTES, DEVONS DÉFENDRE ET PROTÉGER AVEC CONSTANCE

L es adultes sont les gardiens du temple de l'enfance. Aucune maltraitance ne doit être acceptée au sein de nos foyers. Car, petites ou grandes, leurs conséquences sont trop violentes dans la construction psychique d'un enfant.

Si les enfances étaient plus douces, cela ferait fleurir des adultes plus aimants et tolérants.

Un enfant n'est pas mauvais en soi, c'est son éducation et son manque de protection qui le rend agressif. La nature humaine n'a aucune raison d'attaquer si elle n'est pas menacée.

Alors veillons à ne pas attaquer l'enfance mais à la préserver dans ce qu'elle a de plus tendre et de plus affectueuse.

LE ROYAUME DES ENFANTS N'ENTRETIENT PAS DE RANCŒUR

Un enfant ne nourrit pas d'esprit de vengeance. Pourtant « l'âge de raison » devient souvent « l'âge de la déraison ». En soufflant ses sept bougies, au contact du désordre ambiant, un enfant réalise rapidement que la terre qu'il foule est hostile. Il modifie alors ses comportements « instinctivement tendres » en serrant les poings et montrant les dents.

Si notre monde était plus doux, nous le serions tous. Nous n'aurions plus besoin d'écraser l'autre pour imposer notre place dans la société.

LA JEUNESSE A LE POUVOIR DE CHANGER LES CODES DU MONDE

Mais les enfants passent avant tout par nos mains. Veillons à cultiver des enfances saines et heureuses, respectueuses de l'autre et fondées sur des valeurs simples mais justes.

Alors, de nouveaux codes, fruits des générations en herbe d'aujourd'hui, s'instaureront naturellement demain.

ODE À L'ENFANCE

Enfants, vos petits pas parmi les grands
font la fraîcheur de vos aînés. Et quand vos
jolies joues racontent, avec vos mots et
vos regards, vous faites fondre en quelques
secondes nos idées trop arrêtées.
Avec vos perceptions, votre compréhension
du monde, vous nous reconnectez à ce que
nous avons de plus doux en nous.
Chérubins de nos chemins, miracles de vie
et de rires, vos questions sont si souvent les
réponses que nous cherchons à tâtons.
Enfance pleine de puissance, tu régénères déjà
nos demains. Tu es la vie dans la vie, la joie
incarnée en toute légèreté. Continue de voir ce
qu'il y a de plus beau en ce monde car ainsi tu
gommes nos créations les plus immondes.
Continue, douce enfance, de rire et d'avoir de
grands projets. Ne baisse pas tes petits bras aux
détours d'arguments d'un adulte rabat-joie.
Tu sais, il a simplement tristement perdu la foi.
Bats-toi, joyeux lutin, aussi sûrement que
ton petit cœur bat en toi.
Et de la joie qui émane de ta voix,
réveille l'enfant perdu qui murmure pourtant
en chaque être humain.

Happy End

Que cette farandole de mots signe le commencement
d'un renouveau plus beau.

Joyeuse route à tous,

AUDE DE BÉARN

Remerciements

Merci à ma famille que je n'aurais pas pu mieux choisir,

Merci à mes amies, les pépites de ma vie,

Merci à vous, mes lecteurs qui font vivre ce livre,

Merci à Padre Ghislain pour notre orphelinat à Kinshasa
(orphe.aude@gmail.com)

Merci à Cyrille et Patrick pour « Carré Suisse »,
notre marque de chocolat 100 % Nature
bientôt près de chez vous !
(www.carre-suisse.com)